Collection
*"Une vision inédite de votre signe astral"* :

**Bélier** (21 mars – 20 avril)
**Taureau** (21 avril – 20 mai)
**Gémeaux** (21 mai – 21 juin)
**Cancer** (22 juin – 22 juillet)
**Lion** (23 juillet – 22 août)
**Vierge** (23 août – 22 septembre)
**Balance** (23 septembre – 22 octobre)
**Scorpion** (23 octobre – 22 novembre)
**Sagittaire** (23 novembre – 21 décembre)
**Capricorne** (22 décembre – 19 janvier)
**Verseau** (20 janvier – 18 février)
**Poissons** (19 février – 20 mars)

*Le Mois de janvier,* extrait du *Calendrier des Bergers.*
(XVIe siècle ; bibliothèque des Arts décoratifs, Paris.)

# Capricorne

## (22 décembre – 19 janvier)

*"Une vision inédite de votre signe astral"*

## L'AUTEUR :

Aline Apostolska est née en 1961, dans l'ancienne Yougoslavie. Depuis sa naissance, de multiples voyages l'ont entraînée vers d'autres pays, d'autres cultures. Macédonienne, elle se dit volontiers apatride et européenne, ce qui explique sa quête continuelle des mystères universels et immuables de l'humanité.

Après une maîtrise d'histoire contemporaine, elle devient journaliste culturelle *(Globe, City...),* tout en poursuivant des recherches astrologiques en relation avec la mythologie mondiale, le symbolisme, la psychologie. Les grands médias sollicitent sa collaboration en vue d'une rénovation en profondeur de l'image astrologique : rubriques astrologiques de *Lui* (1986-1988), de R.T.L. (chronique matinale, été 1989), de *Femme actuelle* (1990-1991), de *Votre beauté* (1991) et interviews pour *les Saisons de la danse* (depuis 1991).

Reconnue comme une figure d'avant-garde dans les milieux astrologiques, elle assure aujourd'hui des conférences, stages et séminaires d'astrologie et de symbolisme à travers le monde (France, D.O.M.-T.O.M., Belgique, Italie, Egypte...). Parallèlement, elle est directrice de collections aux Editions Dangles et aux Editions du Rocher.

Elle est, de plus, l'auteur de plusieurs ouvrages :

– *Etoile-moi, comment les séduire signe par signe* (Calmann-Lévy, 1987).

– *Sous le signe des étoiles. Relations astrologiques entre parents et enfants* (Balland, 1989).

– *Mille et mille Lunes* (Mercure de France, 1992).

– *Lunes noires, la porte de l'absolu* (Mercure de France, 1994).

# Aline Apostolska

# Capricorne

(22 décembre – 19 janvier)

**Editions Dangles**
18, rue Lavoisier
45800 ST-JEAN-DE-BRAYE

Représentation du Capricorne, extraite du célèbre
*Liber Astrologicæ* (manuscrit latin du XIVᵉ siècle).
(Bibliothèque nationale, Paris.)

ISBN : 2-7033-0409-9

© Editions Dangles, St-Jean-de-Braye (France) – 1994

Le Capricorne (miniature des *Heures* de Rohan, XV<sup>e</sup> siècle).
(Bibliothèque nationale, Paris.)

« *Quand on est arrivé à la certitude, on éprouve l'une des plus grandes joies que puisse ressentir l'âme humaine.* »

Louis Pasteur.

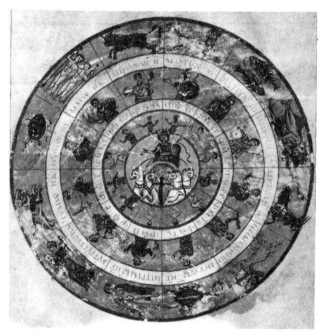

Le Tetrabiblos de Ptolémée, grâce auquel se conserva le savoir astrologique. Il représente le Soleil et les douze signes du zodiaque (art byzantin, 820 apr. J.-C.).

(Bibliothèque du Vatican.)

# Introduction

Astrologie (1)... le mot est lâché et, dès qu'on l'a prononcé, le public se scinde en deux catégories distinctes : « *ceux qui savent* » et « *ceux qui croient* ».

– « *Ceux qui croient* » croient en l'horoscope (2), c'est-à-dire en une lecture parcellaire d'un hypothétique « Destin » écrit et déterminé une fois pour toutes, et qui nous éviterait une fastidieuse investigation personnelle ainsi qu'un véritable travail de prise de conscience et d'autotransformation.

– « *Ceux qui savent* », donc les astrologues ou ceux qui ont acquis un savoir symbolique et ésotérique, regardent « *ceux qui croient* » avec la hauteur qui sied à qui veut jauger l'étendue de son champ d'action. Ceux-là se comportent comme les véritables détenteurs de la « vraie » astrologie, celle qui demande une culture vaste et hétéroclite, du recul et un **indispensable amour de son prochain.**

**L'astrologie implique donc toujours l'exercice d'un pouvoir.** Peut-être que, pour tous ceux qui – à un moment ou un autre de leur vie – entrent dans une demande de reconnaissance et de pouvoir, le premier travail à effectuer reste de savoir pour *quoi,* pour *qui* et *comment* cet exercice peut légitimement se faire.

Alors, à quoi sert donc l'astrologie ? Essayons d'abord de la définir.

---

1. Astrologie : du grec *astron* (astre) et *logos* (langage) signifie « le langage des astres ».
2. Horoscope : du grec *horoskôpos,* qui « considère l'heure de la naissance ».

# 1. Vous avez dit « astrologie » ?...

### a) Le rapport au Cosmos

« *L'astrologie est la plus grandiose tentative d'une vision systématique et constructive du monde jamais conçue par l'esprit humain.* » C'est à cette définition de Wilhelm Knappich (3) que je me réfère le plus volontiers. Elle place d'emblée le sujet à sa juste dimension et offre une vision vaste des rapports qui relient l'être humain au Cosmos qui le contient et qu'il contient lui-même, puisqu'il est composé des mêmes matériaux que ces lointaines étoiles qu'il regarde avec toujours autant d'admiration et d'envie.

Ce rapport à une loi cosmique, qui semble s'accomplir sans que l'être humain puisse y participer autrement qu'en la subissant, constitue la dynamique centrale et principale du désir d'évolution. Cette confrontation quotidienne de l'homme minuscule à ce Majuscule qui le fascine existe depuis que le premier humain a levé les yeux au ciel et que cette « *tension vers le haut* (4) » l'a propulsé dans une démarche de progrès sans fin.

L'astrologie, système conceptuel *poétique* (qui parle par images s'adressant à l'imaginaire) et *symbolique* (qui met ces images en ordre et leur donne un sens), demeure **le plus vaste outil dont l'homme se soit jamais doté pour tenter de comprendre son rapport à l'infiniment grand** et aiguiser ses capacités de maîtrise des énergies qui l'environnent et qu'il refuse de subir.

---

3. Voir, de Wilhelm Knappich : *Histoire de l'astrologie* (Editions Vernal-Lebaud).

4. Les « Très-Hauts » étant les dieux qui, chez les Anciens, donnèrent leurs noms aux planètes.

Autel romain représentant les têtes des douze dieux
de l'Olympe (Antikenmuseum, Berlin).

### b) Un pont entre Visible et Invisible

La pertinence et l'universalité de l'astrologie – parmi tant d'autres systèmes conceptuels – demeurent aujourd'hui avec autant de clarté et de spécificité. Elle reste indétrônée, irremplacée, certes complétée par d'autres symboles mais jamais réduite à eux, car les outils dont elle s'est dotée – il y a plus de 4 000 ans – sont, d'après C. G. Jung, *« les archétypes les plus immuables de l'inconscient collectif, archétypes que les générations se transmettent à l'intérieur d'une même civilisation ».*

Cette pertinence et cette universalité sont de nos jours créditées par cette même science qui, jusqu'à hier, au plus fort des matérialistes années 60, était la première à nier l'astrologie. Les dernières conclusions de la physique quantique mettent largement en avant les preuves de l'importance de l'*immatériel* dans la prise de forme physique des organismes vivants. On y retrouve cette dimension primordiale à laquelle nous ont toujours invités les religions, autant que les philosophies mystiques, d'un Visible qui procède de l'Invisible et de la matière créée par l'énergie de l'Esprit…

Dans la lecture qu'elle nous offre effectivement de l'homme et de ses rapports avec son environnement le plus large, l'astrologie jette bien un pont entre Visible et Invisible ; elle permet d'embrasser l'espace-temps d'une vie terrestre en en pointant le centre. Tel un mandala énergétique, un thème astrologique permet de faire le point des **dynamiques motrices** dont un individu est à la fois l'acteur et la scène, et donne la possibilité d'en tirer le meilleur parti, dans tous ses domaines existentiels.

### c) Se connaître pour s'aimer et se respecter

Loin d'être une lecture du « destin » dans le pire sens – inévitable et punitif – du terme (5), l'astrologie offre d'abord la possibilité de se connaître mieux, dans ce que l'on a d'*unique* et d'*irremplaçable*. Elle aide à cerner de plus près ce pour quoi « l'on est fait » puis, à partir d'une telle évaluation générale des forces en présence, elle aide à trouver un meilleur équilibre, un sens harmonieux et vivable entre l'*inné* et l'*acquis,* entre le *potentiel* et le *vécu.* L'astrologie a pour ambition de nous permettre de **mieux nous comprendre pour mieux nous aimer, et ainsi d'évoluer en harmonie.**

---

5. « *Le destin est la marque de l'inconscient qui imprime sa loi sur une vie* » (Lou Andréas Salomé).

L'astrologie occidentale devient solaire. Ici, Akhenaton,
pharaon égyptien, offrant un sacrifice au dieu-soleil Aton.
(Musée du Caire.)

#### d) L'astrologie prédit-elle l'avenir ?

Mieux se connaître, éclairer, orienter, maîtriser les divers domaines de sa vie, en même temps que s'harmoniser avec les dynamiques cosmiques, voilà ce que permet l'astrologie occidentale. Est-elle pour autant prédictive ?

Rappelons qu'au début l'astrologie donna naissance à l'astronomie, puisque c'est avec elle que débuta l'observation quotidienne du ciel. Puis elles se séparèrent inexorablement jusqu'à ce que Colbert – au XVIIᵉ siècle – exclue définitivement l'astrologie de l'Académie des sciences. Il aura fallu attendre le XXᵉ siècle pour qu'Einstein ose proclamer : « *L'astrologie est une science en soi illuminatrice. J'ai beaucoup appris grâce à elle et je lui dois beaucoup.* »

Sur le plan strictement astronomique, **l'exactitude entre le ciel et les signes astrologiques n'existe effectivement plus depuis longtemps,** mais cela n'enlève rien à la pertinence astrologique qui reste uniquement symbolique. Lorsqu'on parle du Lion, on ne parle pas de la constellation stellaire, mais du symbole et des caractéristiques qui lui sont attribuées.

Cette scission astronomie/astrologie signe la marque de l'Occident qui a ainsi voulu se démarquer d'une idée de « *destinée écrite dans le ciel* ». Ce n'est pas le cas de l'Orient, notamment de l'Inde, où le système astrologique s'est constitué au fil des millénaires dans le respect de l'astronomie. La force de l'astrologie occidentale réside dans sa pertinence *psychologique* et *dynamique,* alors que celle de l'astrologie indienne demeure dans la *prédiction.* En ce sens, elles sont profondément complémentaires, mais n'ont pas le même propos : depuis des millénaires l'astrologie occidentale s'est parfaite comme un **outil d'analyse et d'analo-**

**gie,** alors que l'astrologie indienne a ciselé ses **outils prédictifs.**

Faut-il, pour cela, renier l'astrologie occidentale ? Certes pas. Elle demeure toujours un grand mystère, même et surtout pour « *ceux qui savent* » et en maîtrisent le symbolisme et la technique. L'astrologie, tout occidentale, pour symbolique, psychologique et énergétique qu'elle soit, **continue d'être exacte** lorsqu'il s'agit de s'y référer pour examiner **l'évolution d'une situation.**

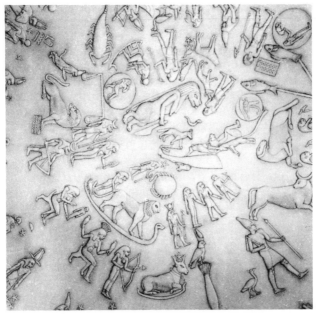

Le zodiaque qui ornait le plafond du temple de Dendérah, en moyenne Egypte.
(Bas-relief de l'époque ptolémaïque ; musée du Louvre.)

### e) Une leçon de sagesse et d'humilité

Alors oui, ça marche, mais le mystère demeure entier et c'est tant mieux ! Pour l'homme contemporain, trop prompt à se croire capable de tout appréhender et de tout maîtriser, l'astrologie demeure une leçon quotidienne, à travers l'exemple mille fois répété que « quelque chose échappe à notre condition d'humains »... Quoi que l'on ait appris et compris, lorsque l'horloge cosmique se met en marche elle scande des rythmes que nous ne pourrons jamais prévoir, saisir ni connaître dans leur réalité. Au moment où les choses se passent, on est toujours surpris – ou catastrophé – mais surtout dépassé...

L'astrologue qui dit le contraire et prétend avoir tout su, tout prévu, tout analysé, se lance dans une **gageure d'apprenti sorcier** ou vise un rôle de **gourou de la pire espèce.** Les temps actuels sont trop propices à de critiquables abus de toutes sortes de pouvoirs pour ne pas le rappeler.

L'astrologie permet de savoir beaucoup de choses. Elle est un incomparable **outil de prise de conscience** et de connexion cosmique, mais il demeure toujours ce que l'homme ne connaîtra jamais... Dieu l'en garde !

## 2. Etre d'un signe, qu'est-ce que cela signifie ?

*« Je suis Taureau, tu es Verseau, il est Sagittaire... »*
Au quotidien, l'astrologie s'exprime ainsi. Nul n'ignore
son signe solaire, même les jeunes enfants qui s'y
réfèrent avant de saisir ce qu'est l'astrologie. On sait
moins, par contre, quelle réalité recouvre cette symbolique.

Pour décrypter une personnalité ou une situation,
pour saisir les **circulations énergétiques** en place et
comprendre – puis orienter – les **dynamiques motrices**
spécifiques, l'astrologue est en possession d'outils
qu'un vaste savoir – à la fois ésotérique et analogique
– autant que des millénaires d'expériences statistiques
ont permis de fignoler jusqu'à leur donner la pertinence
et la fiabilité actuelles.

### a) Les outils de l'astrologie

Ces outils sont les signes, les planètes, les maisons
et quelques points immatériels tels que les nœuds
lunaires, la Lune noire, la part de fortune et, éventuellement, les astéroïdes Chiron et Cérès. Les aspects que
ces différents points forment entre eux impriment la
dynamique générale du thème astral, pointent les
forces, les faiblesses et les caractéristiques de la personnalité dans ses différents domaines d'existence.

Considérons un thème astral comme un parcours
terrestre précis et imaginons que le potentiel de chacun est un véhicule : les signes donnent la couleur de
la carrosserie et les caractéristiques de la marque, les
planètes donnent la puissance et les spécificités du
moteur, tandis que les maisons permettent de savoir à
quel domaine de la vie (personnel, sentimental, professionnel, financier, etc.) s'appliqueront ces caractéristiques.

Le zodiaque et les constellations, avec leurs numéros et leurs degrés (carte du ciel de Dürer, XIXᵉ siècle).

## b) Les critères principaux pour mieux se connaître

Comme on le voit sur le dessin, un thème astral met en évidence plusieurs positions planétaires dans différents signes du zodiaque. Nous sommes tous un savant – et unique – mélange de différents composants. Nous roulons tous avec une carrosserie plus ou moins bariolée ! Bien sûr, pour lire et comprendre le tout, il faut être astrologue, mais chacun peut facilement, grâce aux nombreux serveurs télématiques astrologiques ou à des ouvrages de calculs, connaître les éléments essentiels de son thème, pour se référer ensuite aux autres ouvrages de cette collection.

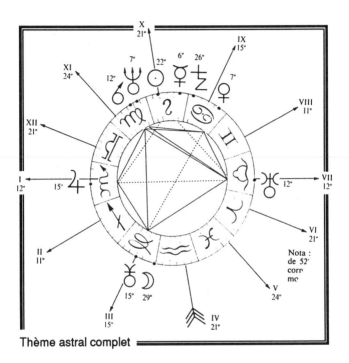

**Thème astral complet**

◇ **Le signe solaire,** celui qui nous fait dire « *Je suis Taureau, Bélier, Vierge...* » et qui est donné par la position du Soleil au moment de notre naissance, caractérise notre Moi extérieur, notre comportement social et productif, nos références paternelles.

◇ **Le signe lunaire** est au moins aussi important que le signe solaire, car il permet de connaître notre

Moi profond, notre sensibilité, notre imaginaire, notre part intime et notre image maternelle. La Lune parle mieux des aspects essentiels de nous-même, au point que certaines astrologies considèrent le signe lunaire comme LE signe véritable. C'est ainsi qu'en Inde, si vous demandez son signe à une personne, elle vous répondra invariablement par son signe lunaire, vous livrant ainsi la « part cachée » d'elle-même... C'est pourquoi il est important d'étudier aussi son signe lunaire si l'on veut mieux se retrouver et se définir.

✧ **L'ascendant :** plus personne, de nos jours, n'ignore qu'il s'agit d'un élément indispensable qui représente notre personnalité innée, celle qui nous place dans l'histoire familiale et dessine les traits exacts de notre identité quotidienne. Sur un plan technique, l'ascendant représente la maison I ; il est donc un *miroir grossissant :* on s'y voit et l'on y est vu. Le connaître est donc également très important.

✧ **La dominante planétaire :** sur les dix planètes et autres points importants d'un thème, il arrive qu'il y en ait plusieurs dans un même signe qui n'est ni celui du Soleil, ni celui de la Lune, ni celui de l'ascendant. Il peut arriver qu'une planète soit particulièrement importante et qu'elle se trouve dans un signe précis. Cette dominante est ordinairement calculée par les serveurs télématiques de qualité, et il suffit alors de se reporter à l'étude du signe de cette dominante.

☉ ☿ ♀ ♁ ☽ ♂ ♇ ♆ ♀ ♎ ♃ ♄

Ces différentes approches sont de sûrs moyens de bien utiliser cet outil très élaboré et très subtil qu'est l'astrologie. Sa structure minutieuse la rend parfois complexe et rébarbative pour certains qui préfèrent en rester à leur signe solaire (du moins, dans un premier temps), ou aller consulter un professionnel dans les moments clefs de leur vie. Mais, en astrologie, chacun fait comme il lui plaît, au niveau et au degré qui lui conviennent le mieux.

Comme disait d'elle André Breton, qui l'aimait d'amour fou, « *l'astrologie est une grande dame et une putain...* ». Comme toutes les grandes dames, elle demeure insondable et inaccessible aux « *pauvres vers de terre que nous sommes* » mais, comme les putains, on peut facilement l'aborder en superficie et jouir d'un plaisir légitime et réconfortant parce qu'éphémère...

## 3. La roue du zodiaque

### a) Les signes, 12 étapes pour la conscience

Levant les yeux au ciel, l'homme vit la trace de la projection du Soleil sur la voûte céleste. Cette projection constitue le zodiaque, formé par 12 constellations, groupes d'étoiles dont on a aujourd'hui pris l'habitude de voir les dessins, et qui donnèrent leurs noms aux signes zodiacaux.

D'après les planètes et les constellations, les Babyloniens (les premiers) établirent un calendrier basé sur l'astrologie et les quatre saisons. Le nom des signes évolua avec l'histoire et les civilisations qui, tour à tour, s'approprièrent « le langage des astres » et le firent évoluer... Mais quels que soient les noms donnés aux signes, ceux-ci eurent toujours pour rôle de marquer l'évolution du Temps et donc, symboliquement, la progression de la personnalité. La roue du zodiaque évoque ainsi, en douze étapes, l'évolution de la personnalité humaine, l'éveil de sa conscience ainsi que le passage d'un plan de conscience à un autre.

Chaque signe a un rôle précis dans cette évolution. Du Bélier qui, avec le retour des forces vives primordiales analogiques au printemps symbolise l'ego à son stade le plus primaire, mais aussi le plus puissant, au Poissons qui, avec la période de la fonte des neiges et la dilution de toutes les certitudes terrestres, représente la disparition de l'ego humain et l'accès – le retour – à un plan cosmique infini et intemporel.

♈ ♉ ♊ ♋ ♌ ♍ ♎ ♏ ♐ ♑ ♒ ♓

## b) Douze signes, six axes

Les 12 signes que nous connaissons fonctionnent deux par deux. Il existe en réalité 6 signes véritables, avec chacun une face et un dos (ou un endroit et un envers), mais la dynamique de base et les objectifs vitaux en sont identiques. Ces six axes sont les suivants :

♈♎ **L'axe Bélier-Balance,** ou *axe de la relation.* La relation humaine représente le cœur des préoccupations de ces signes, mais chacun y répond d'une manière opposée et, finalement, complémentaire.
  ✧ Le Bélier dit : « *Moi tout seul, j'existe face à l'autre.* »
  ✧ La Balance dit : « *Moi à deux, j'existe grâce à l'autre.* »

♉♏ **L'axe Taureau-Scorpion,** ou *axe de la pulsion.* Ces signes sont au cœur de la matière humaine et terrestre. Ils connaissent tous les secrets de la vie et de la mort, mais prennent des positions opposées par rapport à cette question de fond.
  ✧ Le Taureau dit : « *La vie est sur Terre. Je crée et je possède.* »

Jupiter, au centre du zodiaque.
(Sculpture du II<sup>e</sup> siècle ; Villa Albani, Rome.)

✧ Le Scorpion dit : « *La vie passe par la mort. Je détruis pour transcender.* »

♊ ♐ **L'axe Gémeaux-Sagittaire,** ou *axe de l'espace.* Ces signes permettent d'accéder à une vision complexe, intellectuelle puis spirituelle de l'humanité. Leur maître mot est le mouvement, mais ce mouvement est vécu différemment par l'un et par l'autre.

✧ Le Gémeaux dit : « *Je bouge dans ma tête. Je conceptualise et je transmets.* »

✧ Le Sagittaire dit : « *La vie est ailleurs. Ma mission est ma quête.* »

♋ ♑ **L'axe Cancer-Capricorne,** ou *axe du temps.* Pour ces deux signes, tout est inscrit entre hier et aujourd'hui ; ils sont chacun à un pôle de la roue de la vie.

✧ Le Cancer dit : « *Je suis l'enfant de ma mère. L'imaginaire est ma réalité.* »

✧ Le Capricorne dit : « *Je suis le père de moi-même. Je gravis ma montagne.* »

♌ ♒ **L'axe Lion-Verseau,** ou *axe de l'individuation.* Ces signes sont ceux du stade de l'adulte accompli. Mais chacun voit différemment son rôle d'adulte parmi les adultes.

✧ Le Lion dit : « *Un pour tous. Je suis le modèle de référence.* »

✧ Le Verseau dit : « *Tous comme un. Je suis solidaire et identique à mes frères.* »

♍ ♓ **L'axe Vierge-Poissons,** ou *axe de la restitution.* A ce stade de la roue du zodiaque, il est temps d'abolir la notion d'individualité. On s'en réfère à l'âme et, plus qu'à soi, on pense à son prochain.

✧ La Vierge dit : « *Je me dévoue sur Terre. Je suis utile au quotidien.* »

✧ Le Poissons dit : « *Je lâche prise. A travers moi, la loi divine s'accomplit.* »

### c) Quatre éléments, trois croix

Les quatre éléments Feu, Terre, Air et Eau, combinés selon ces six axes, s'associent également selon une répartition ternaire qui spécifie le type d'énergie élémentaire de chaque signe, ainsi que leur stade d'évolution initiatique. Nous aurons ainsi les trois croix suivantes :

✧ **La croix cardinale :**
– *Bélier/Balance*
(Feu/Air ; masculin)
– *Cancer/Capricorne*
(Eau/Terre ; féminin)

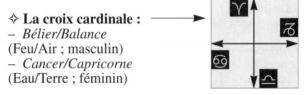

C'est la **croix de l'Esprit.** En latin, le mot cardinal signifie « gond de la porte ». Les cardinaux *inaugurent l'énergie* de l'élément auquel ils appartiennent. Ils introduisent la notion de disciple propre à la période préparatoire de l'âme au passage de la porte de l'initiation. Ils représentent le premier stade de l'évolution de l'âme.

✧ **La croix fixe :**
– *Taureau/Scorpion*
(Terre/Eau ; féminin)
– *Lion/Verseau*
(Feu/Air ; masculin)

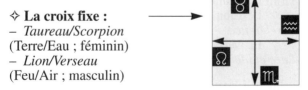

C'est la **croix de l'âme.** Ils sont les signes sacrés qui symbolisent l'énergie de l'élément auquel ils appartiennent. *Le message divin y est déposé,* d'où leur analogie avec les quatre évangélistes. Ils représentent l'âme à son aboutissement.

✧ **La croix mutable :**
– *Gémeaux/Sagittaire*
(Air/Feu ; masculin)
– *Vierge/Poissons*
(Terre/Eau ; féminin)

C'est la **croix du corps.** Elle spécifie le chemin de la vie quotidienne à laquelle sont assujettis tous les fils des hommes. Elle représente la crucifixion et la difficulté journalière de ceux qui *servent le divin à travers la matière* et son utilisation. Les mutables doivent transmuter l'énergie de leur élément.

Comme nous l'avons dit, nous sommes tous un savant mélange de ces différents paramètres, mais un signe se détache tout particulièrement sur notre chemin.

Un signe, une étoile, un message… A chacun son Bethléem !

*Découvrons-le à présent en détail.*

# I

# La vie selon le Capricorne

## 1. L'ambition d'être et d'avoir

« *J'utilise,* dit le Bœuf.
*Ma force crée la stabilité*
*Qui perpétue le cycle vital.*
*Résolu et inattaquable, je fais face, immobile,*
*Au défi de l'adversité.*
*Cherchant à servir l'intégrité,*
*A porter le poids de la droiture,*
*J'observe les lois naturelles*
*Et je pousse patiemment la roue de la fortune.*
*Ainsi je vais, tissant ma destinée.* »

**Stabilité, droiture** et **persévérance,** voici les trois mots clés du Capricorne, analogique au signe chinois du Bœuf. C'est ainsi qu'il s'affiche… qu'il s'espère. Car plus qu'*être,* **le Capricorne devient :** il se construit échelon après échelon, tout au long de son existence aride, tenace, bardée de devoirs mais trop souvent dénuée de frivolité. La vieillesse le voit finalement rajeunir, se détendre, voire même se laisser aller, enfin vivre tout simplement, après avoir passé tant d'années à travailler, construire et **assumer.** Il est vrai que le **facteur temps est essentiel** pour la bonne compréhension de sa psychologie profonde. Ce facteur constitue l'un des critères incontournables de ses relations humaines. Quiconque ne partage pas son vécu d'un temps plane qui tend à l'éternité – sinon à l'**immortalité** – est condamné à être toujours à contretemps par rapport à lui. Cela limite ses relations, détermine ses actions, lui impose des objectifs mais ne laisse aucune place à la légèreté caractéristique de la jeunesse au cours de laquelle le natif est souvent en proie aux responsabilités normalement dévolues à l'âge adulte.

Mais choisit-on le lieu où l'on naît et l'éducation que l'on reçoit ? Il faut faire avec et, à partir de cette base – aussi dure et douloureuse soit-elle – se construire soi-même. En ce sens il est bien **« l'architecte du zodiaque »** en accord avec ce proverbe chinois : *« Chacun a devant lui l'image de ce qu'il doit être, et tant qu'il ne ressemblera pas à cette image il ne trouvera pas la paix. »*

*« Je me construis, donc je suis »*, se dit ainsi le Capricorne, suivant sa voix intérieure, démon ou ange gardien, **Christ intérieur** qui a promis d'être à nos côtés jusqu'à la fin des temps… Autant cette image constitue-t-elle un moteur dynamique, que les contes et les légendes sont là pour nous rappeler que les figures trop idéales de sirènes, de lutins et de fées peuvent aussi nous guider vers l'erreur parce qu'elles sont nécessairement doubles par nature. Seulement voilà, contrairement à ce qu'il affirme, le Capricorne – qui doute de tout – ne doute pas de la positivité de sa voix intérieure. Il ne s'autorise pas à penser une chose pareille. **Il doit suivre, donc il suit.** A-t-il d'ailleurs d'autre choix ?…

Le **non-choix,** la notion de fatalité et d'acceptation de celle-ci, apparaît comme une autre composante clé de la psychologie du signe. Le Capricorne se sent obligé, responsabilisé, condamné sinon « appelé », ce qui revient d'ailleurs exactement au même, à part que

*L'ermite endormi.*
Toile de Joseph-Marie
Vien (XVIIIe siècle).

(Musée des Beaux-Arts,
Orléans.)

reporter la difficulté à vivre sur un quelconque destin
semble nettement plus valorisant et donne à la douleur
un sens plus digne. Se croire choisi est toujours grati-
fiant, même lorsque c'est pour se retrouver chargé
d'une croix. Souffrir oui, mais qu'au moins cela ait un
sens… Tout lucide qu'il soit, le Capricorne se fait ainsi
bien des illusions.

Il n'en demeure pas moins que, l'un dans l'autre,
ce sentiment « d'avoir quelque chose à faire de sa
vie » fonde toute son ambition. Or, beaucoup plus que
ses prétendues tristesse et fermeture, l'**ambition
d'être** représente la puissance phénoménale du signe,
ambition d'être à laquelle s'adjoint l'**ambition d'avoir.**
En signe de Terre, le Capricorne n'est pas dénué de
ces préoccupations sociales et matérielles qui canali-
sent une bonne partie de son énergie. En analogie avec
la maison X, le signe se détermine effectivement par
rapport à son **besoin de gravir, de grandir et de
prendre sa place d'adulte parmi les adultes,** le
domaine socioprofessionnel constituant son champ

d'application premier. L'énergie constructive, l'autorité, la profondeur, le sérieux, la fiabilité, la prévoyance et la ténacité des natifs expliquent facilement qu'ils s'y distinguent et s'y développent. Néanmoins, une dimension plus vaste et plus spirituelle se cache généralement derrière ce goût de la puissance et de l'argent. On rappellera à ce propos une autre maxime chinoise : « *Toute jouissance du pouvoir s'épuise au bout de huit mois.* » C'est toujours un cycle, une étape dans la vie des natifs, mais qui perd tout son sens si cela doit représenter l'unique ambition.

Mais pour atteindre l'image parfaite de soi et avoir la certitude de l'avoir rejointe, il faut accomplir l'effort de **s'auto-éduquer** sans relâche. Le chemin de vie des natifs est ainsi tout tracé. C'est un chemin sinueux et escarpé, mais c'est surtout **un chemin qui grimpe,** un chemin qui va vers le haut et élève l'être, le corps, l'âme et l'esprit. Dans son joli livre, Jacques A. Bertrand a justement écrit (1) : « *Le Capricorne veut voir le loup sur la montagne. Tant qu'il ne l'aura pas vu, il continuera son escalade.* »

Se posent dès lors deux questions : quelle est cette montagne et quel est ce loup ? Et surtout, au stade où il en est, s'agit-il véritablement de *sa* montagne et de *son* loup ? L'ambition d'être du Capricorne lui vient-elle vraiment de lui-même ?

≈≋ ♓ ♈ ♉ ♊ ♋ ♌ ♍ ♎ ♏ ♐ ♑

―――――

1. Voir, de Jacques A. Bertrand : *Tristesse de la Balance et autres signes* (B. Barrault).

## 2. Sous l'emprise des origines

Evidemment, les natifs ne veulent même pas considérer la question, la repoussant d'un sourcil froncé… Au nom de qui tout cela ? Au nom de qui les restrictions, les interdits, les retards, les regrets… tout ce comportement autopunitif ? S'ils admettent que ce peut être au nom d'un idéal, d'un Destin supérieur pour lequel ils auraient été choisis, au nom de leur voix intérieure ou d'un quelconque dieu, ils sont plus réfractaires à aller voir ce qui se passe dans leurs profondeurs pour en déterrer tous les blocages qui s'y tapissent ainsi d'autant plus facilement…

Tant qu'être signifie pour lui chercher à se justifier devant Dieu, la recherche de son salut le situe dans une dimension verticale. Si, par contre, son souci est de se relier à ses semblables, il se situe dans une dimension horizontale qui l'oblige à reconsidérer la façon dont il mène tous les aspects de ses relations humaines, affectives, familiales, émotives, sensibles, sexuelles… Considérer que le Mystère est uniquement localisé dans les hauteurs du ciel, c'est ignorer – ou feindre d'ignorer – qu'il se trouve aussi dans les profondeurs de l'être. C'est exactement à ce carrefour que se situe le Capricorne. Il feint désespérément qu'aucune vision autre que celle du ciel ne le concerne plus. Sa quête de l'équilibre et de la justice passe par le fait de ne plus jamais regarder en bas et en arrière. Ce qui est, en fait, une façon implicite de reconnaître qu'il y aurait justement bien des choses à y découvrir…

De son corps, de ses désirs ardents, de son emprise originelle, de toute l'énorme importance de son affectivité, le Capricorne se rêve **débarrassé, libéré, détaché.** Mais pour y parvenir, il faut en arriver à un stade supérieur du Verseau, après qu'Uranus ait fait table rase des divers attachements d'ordre individuel. Au stade zodiacal où se situe le Capricorne, il s'agit encore d'un **rêve de détachement** qui ne peut en aucun cas être effectif… Et qui, d'ailleurs, ne l'est jamais !

Face au Cancer, « éternel enfant de sa mère » qui affiche l'importance de ses liens aux origines maternelles et y axe naturellement sa vie, le Capricorne clame qu'il deviendra **« le père de lui-même ».** Ce qu'il fait d'ailleurs très bien. Mais, méprisant la phénoménale emprise des origines et de la tradition sur lui-même, il en devient la victime, sinon le jouet. Au mieux, il devient l'étendard des ancêtres dévoué à un culte plus ou moins conscient de ce lourd héritage. Bien que construisant sa maison, sa montagne, son espace vital délimité, il le fait en regard de **critères ancestraux** qui ne lui appartiennent pas.

Jamais il ne remet fondamentalement en question l'héritage de la lignée maternelle et, s'il règle des comptes, c'est toujours et encore par rapport à celui-ci. L'axe Cancer-Capricorne se définit pratiquement entièrement par rapport à **la carence de l'image paternelle,** ce qu'explique bien le mythe de Cronos (voir « Mythologie du signe »). En ce sens, les astrologues qui voient en Saturne la figure du père font un non-sens complet. Saturne stigmatise la coupure et la règle, mais en fonction de quoi est-ce une image obligatoirement paternelle ?

Le père, source de vie, se situe à l'exact opposé de l'infanticide image saturnienne. La source de toute vie, la possibilité d'être, de croître et d'aimer ne peuvent venir que du Soleil… Or voilà justement ce qui est absent de l'axe Cancer-Capricorne, centré sur la prédominance lunaire (2)…

---

2. Voir *le Cancer,* dans la même collection (Editions Dangles).

A l'abri sous la neige, la vie… le printemps qui s'annonce.
(Martin – Atlas photo.)

En Capricorne autant qu'en Cancer, l'emprise des origines reste centrale et essentielle. Seulement, au lieu d'être vécue dans l'abondance et la plénitude (sinon dans l'exagération), elle est marquée par le **manque.** « *Never more...* », croasse le corbeau du natif Edgar Poe (3)... Plus jamais en effet, lorsque la faucille saturnienne s'est abattue sur le magique lien de la mère à son nourrisson. Plus de chaleur, plus de nourriture, plus de câlins, plus de cordon ni de contacts physiques ravigotants. Et plus rien que froidure, maîtrise, **frustrations** et regrets. **Eternels regrets du paradis perdu...** Loin d'être absente, la relation originelle est dans la plupart des cas douloureuse, perturbée voire *interdite,* sans compter que la jeunesse des natifs est statistiquement parmi les plus marquées par la mort effective des très proches... Là encore, marque de la faucille saturnienne et du regret...

Il ne reste donc plus qu'à être seul, puisqu'on l'a été trop tôt, à gravir sa montagne et construire sa propre vie. Plus encore qu'un choix, **l'ambition du Capricorne est une nécessité vitale.** Vertical, ambitieux, solitaire, juste et méfiant ? Et comment faire autrement ?... Nous nous édifions tous sur la base de nos blessures, le Capricorne un peu plus que les autres. Sa traditionnelle mélancolie et son saturnisme verlainien viennent de là. Egalement son goût pour la musique, car la musique exprime l'indicible. Il lui faut longtemps, longtemps, tellement de temps pour voir, dans sa tristesse, une chance de liberté, autant de temps qu'il passera enchaîné à ses émotions non dites et vécues comme une injustice du Destin, car s'il est très simple de se détacher parce qu'on l'a soi-même

---

3. Voir, d'Edgar Allan Poe : *Le Livre des quatre corbeaux,* le célèbre poème traduit par trois autres « corbeaux » célèbres : Baudelaire, Mallarmé et Pessoa (La Différence).

Une fresque représentant le Capricorne, découverte dans une synagogue de Doura-Europos, Iᵉʳ siècle de notre ère.
(Musée du Louvre, Paris.)

choisi, **il faut énormément de temps pour s'affranchir d'un manque...** Seule reste la communication verticale, avec ce Ciel tout-puissant auquel on va – au mieux – chercher à se mesurer.

**Calcifié** dans l'éternel regret, **pétrifié** en lui-même, soumis à la **tentation involutive,** il faut du temps pour que s'opère la prise de conscience dont l'effet libère la circulation des énergies et rétablit la communication horizontale, le plaisir des relations humaines et terriennes au rang desquelles la gourmandise sexuelle doit être particulièrement considérée. Il faut du temps pour oser s'autoriser à opposer l'espoir au devoir, l'amour à l'ambition, la futilité à la désespérance, l'espace d'une vie à l'éternité. **Pour oser la vie contre la mort,** tout bêtement !...

Signe de Terre féminin et épicurien, le Capricorne porte pourtant tout cela en lui. Tel le volcan sous la glace, la pureté et la vivacité de son cœur brûlent dans un corps beaucoup plus chaud qu'il n'en donne l'apparence... Combien de fois faut-il montrer patte blanche avant de pouvoir les aborder ? Mais quand – enfin – on découvre que l'amour reste la seule grande affaire de leur vie... on voit s'allumer un sourire véritablement enfantin que cachait leur austère port de tête... Là encore, c'est le Temps lourd, informe et moite qui pèse de toute son immobilité.

## 3. Décembre : le début de l'été...

Et pourtant, c'est Noël ; toutes les naissances sont possibles... Au solstice d'hiver, le soleil qui n'est pas dehors ne peut qu'être au fond du cœur. Si la nature dort, c'est qu'elle prend un repos bien mérité. Dans la terre sèche, aride et froide, la graine regroupe ses forces : elle s'apprête à jaillir, source de joie et de nourriture, preuve de vie. Comme l'hiver est avant tout une **promesse d'été,** le Capricorne a le soleil en plein sur la façade et la vie pour unique perspective : « *Je suis le feu tapi dans la pierre. Si tu es de ceux qui font jaillir l'étincelle alors frappe* », dit le poète soufi Ziadetallah...

On dit toujours que le Capricorne gravit la face nord de la montagne et qu'il s'éloigne à chaque fois qu'un humain s'approche. Oui mais... les anciens Chinois disent à juste titre : « *Balcon nord : soleil* », ce qui est une autre façon de rappeler que la perspective du signe est bien l'été tandis que celle du Cancer ne peut être qu'hivernale. Enfin, puisqu'on parle de pierres, de calcification et de montagne, il ne faut pas oublier que l'eau est forcément présente dans les parages. Tout d'abord parce que sur le plan géologique, la

Calligraphie de Ziadetallah (Kairouan, 817).
(Librairie-boutique Edifra/Ima,Paris.)

poussée grondante de la couche terrestre produit simul-
tanément une montagne et une mer (la juxtaposition
des plans horizontal/vertical) et invite à regarder tout à
la fois vers le sommet et vers le large. C'est encore
une allégorie de l'axe Cancer-Capricorne, le Cancer
dans la mer-mère, le Capricorne sur la montagne. Mais
il y a forcément interpénétration des symboles et des
éléments.

Ainsi le Cancer possède-t-il une carapace dure
comme du granit, tandis que le Capricorne a les pieds
dans l'eau. C'est son cœur surtout qui prend l'eau,
élément fluidifiant, dissolvant sans lequel la vie ne
peut exister. **L'été du Capricorne se trouve dans son
cœur,** et c'est là que peut germer et grandir l'*à-venir*.
Lorsqu'il a fini de s'identifier à son passé et d'y trou-

ver toutes les raisons de regretter et de se méfier, lorsqu'il a laissé circuler les énergies et amoindri sa paroi graniteuse, il s'aperçoit alors qu'elle n'était que calcaire. L'eau des sentiments, de l'émotion et de l'espoir la dissout. Face nord, plein soleil : pur, tendre, juste et sincère, **le Capricorne ne demande qu'à aimer.** Sinon comment, mais comment donc le Christ lui-même aurait-il pu naître au cœur d'une nuit d'hiver ?…

Finalement, le plus dur pour lui, ce à quoi il préfère renoncer – parce que pour lui renoncer est plus facile qu'espérer – c'est de se voir comme tous les autres humains et de constater que les mêmes plaisirs simples, chaleureux et suaves lui sont aussi autorisés. Là encore c'est une question de temps, et il lui faut finalement beaucoup d'optimisme pour tenir ainsi sur la longueur d'une vie… Rien de plus suspect finalement que cet **ascétisme affiché** du Capricorne, car s'il lui était vraiment naturel il ne le vivrait pas avec autant de douleur et de tristesse…

Pour accepter ce que je dis là, les natifs doivent entièrement revoir ce qu'ils appellent « _leur conscience_ » qu'ils clament partout comme étant le produit de leur sagesse. Ah ! les beaux et grands mots dans la bouche d'êtres aussi charnels qu'eux ! Ils appellent _conscience_ une patiente abnégation, un laminant exercice d'acceptation de la douleur et du renoncement. Ils appellent _conscience_ la culpabilité d'oser se faire du bien quand il ne s'agit que d'un jeu douloureux avec les limites intérieures. La joie, la sérénité et le plaisir qui semblent être les attributs majeurs des vrais mystiques leur sont tout autant inconnus. **Leur forme de conscience est souvent une condamnation.**

Par contre, oser prendre conscience des origines et éventuellement se révolter contre elles, savoir couper

la lourde traîne – le boulet – du passé et de la Tradition les laisse pantois. Au lieu de dire qu'« ils ne
peuvent pas », ils préfèrent décider que *« ce n'est pas
bien ! »*, dire que *« c'est le karma ! »* (qui est aussi la
trace de l'inconscient qui impose sa loi sur une vie…),
et leur travail sur eux-mêmes consiste à l'accepter
plutôt que d'oser se dire qu'ils peuvent agir. Depuis
quand le travail sur soi n'est-il pas avant tout une possibilité de comprendre les héritages pour s'en libérer ?
Depuis quand y a-t-il du mal à se faire du bien  ?

Grandir sur le plan socioprofessionnel c'est bien,
mais grandir sur le plan émotif et sensuel reste encore
leur grand problème. Alors… heureusement qu'il y a
de l'eau, du soleil et une perspective estivale. Saturne
signifie aussi **le passage du subi au choisi,** et c'est
cela la seule vraie conscience. On peut choisir d'abat-
tre sa faucille sur la traîne emprisonnante de la mémoire ancestrale. La spiritualité n'est pas une échappatoire
et une condamnation : elle arrive, de surcroît, lorsque
le cœur a enfin pu fleurir…

## 4. La peur, l'avidité et le renoncement

Oui mais voilà, il faudrait pouvoir oser ! En tant
que signe de Terre, le Capricorne suit le Sagittaire
dont le Feu est déposé en lui. Mais si le Feu est là, il
est tapi dans la pierre et il a bien besoin que quelqu'un
frappe et fasse jaillir l'étincelle. C'est pourquoi les
communications horizontales lui sont tellement nécessaires ; c'est pourquoi la solitude est chez lui une
seconde – fausse – nature. Coupé de contacts, il risque
effectivement de rester muré en lui-même et de se cal-
ciner de froideur apparente, car ses forces sont surtout
celles de la **sélectivité,** du courage, du labeur, de la
**lucidité** et de la justice, toutes choses qui ne font que

renforcer la solitude en **imposant limites et restrictions** à l'entourage comme à soi-même.

La **peur** est au centre de la psychologie capricornienne et produit l'introversion nécessaire mais redoutée typique du signe. C'est pourquoi il lui faut faire les choses *prudemment* – et petit à petit – car il ne dispose pas des ressources émotives et affectives pour faire marche arrière et se remettre facilement de ses éventuelles blessures. Le public, la foule, l'extérieur, la bonhomie, les contacts frivoles sans lendemain… tout cela terrorise le natif. Mais, plus que tout cela, c'est **la peur du manque** – ce terrible manque affectif qui l'a marqué au fer rouge – qui le taraude de l'intérieur.

Travailler comme un fou, un *workaholic* (4), est alors, dans la majorité des cas, une compensation, une façon de se projeter là où ça marche et où l'on ne dépend que de soi, pour éviter de regarder en face les domaines qui posent problème. Trop travailler et afficher une bizarre avidité est toujours questionnant ; or, combien de natifs répondent à cette description ? Fous de solitude intérieure et entièrement dédiés à leur boulot, à leur construction sociale, à leur soif de puissance ou bien à une cause – ce qui revient au même – c'est une fuite suicidaire autant qu'**une façon de renoncer à la partie essentielle – la partie vivante – de soi.**

« *Never more…* », encore ce corbeau qui croasse sur l'épaule du roi mort…

Joëlle de Gravelaine, astrologue du signe, résume les choses en disant que le Capricorne, à cause de son syndrome de peur, oscille entre la technique de Crésus et celle de Job (5). Crésus dit : « *Je veux tout, comme*

---

4. Textuellement : « alcoolique de travail », drogué de travail.
5. Voir, de Joëlle de Gravelaine : *Le Grand Livre du Capricorne* (Sand).

Couverture du *Corbeau* d'Edgar Allan Poe, par Gustave Doré, tous deux natifs du signe.

(Musée de l'Affiche, Paris.)

ça même si on m'en prend un peu, il me restera tou-jours quelque chose »,* tandis que Job répond, assis sur son tas de fumier : *« Je ne veux rien, comme ça je suis sûr qu'on ne pourra rien me prendre » !* Mais l'en-semble de ce dialogue intérieur entre avidité et renon-cement repose sur le syndrome central de la peur. Elle constitue et représente le drôle de moteur du signe.

Le **cycle avidité/renoncement** se retrouve dans tous les aspects de la vie des natifs et alterne d'une phase à l'autre : être avide, amasser, entasser, se débaucher totalement, s'empiffrer et s'enivrer, exercer un pou-voir aveugle puis s'en punir, se débarrasser de tout, perdre, donner, organiser la faillite et le vide amoureux au nom d'une inconsciente culpabilité de posséder…

Une dominante saturnienne produit les mêmes effets.

## 5. Nécessité vitale de la démesure

Entre peur et ascétisme, le natif ne peut se libérer qu'à travers la démesure et la folie, en se jetant corps et âme dans le lieu même de sa peur. La démesure – le piège du Sagittaire – est la chance de salut du Capricorne. Ainsi Molière, Fellini, Bertolucci, Martin Luther King, Nasser, Cézanne, Humphrey Bogart, Simone de Beauvoir, André Malraux, Michel Piccoli… autant d'êtres infiniment **timides** et ennemis de l'excès qui ont plongé la tête la première dans le lieu même où ils redoutaient le plus d'aller, pour affronter l'énormité, la foule, la gloire, la violence, le destin déchaîné.

Racine dira : « *Je me livre en aveugle au destin qui m'entraîne* », rejoignant ainsi Montesquieu : « *Je cherche l'immortalité mais elle est en moi-même…* »

Pour quiconque veut comprendre le Capricorne, comprendre le rapport particulier qu'il entretient avec sa propre peur est essentiel : comment la peur pousse à la démesure et constitue la seule façon de faire sauter le granit à la dynamite pour s'exprimer et atteindre au cœur de soi. Finalement, le Capricorne n'a de choix qu'entre rester emmuré en lui-même ou **se laisser terrasser par une passion grandiose,** un Destin qu'il appelle par tous ses noms et de tout son désir. Et après ça, on dira qu'il est froid, retenu et sage, qu'il n'aime pas la vie, lui qui est prêt à se faire foudroyer plutôt que de ne jamais y goûter !…

**Renoncer au renoncement est certainement ce qui peut lui arriver de mieux…** Alors – et alors seulement – peut venir le détachement vrai, la possibilité de quitter ce que l'on a bien connu, le cœur plein et apaisé…

Saturne, extrait du *De Sphæra,*
manuscrit italien du xv<sup>e</sup> siècle.
(Bibliothèque Estence, Modène.)

## 6. Pudeur et ardeur d'âme

Si le corps – et les excès que l'on peut connaître à travers lui – titille les natifs, ce n'est pas seulement parce qu'ils sont sensuels, sensitifs et charnels. Leur **grande pudeur** et leur désir de ne pas s'engager avec n'importe qui afin de préserver leur sensibilité et leur fragilité affective a pour équivalent leur légendaire frilosité corporelle. Ainsi, s'ils enlèvent leur manteau longtemps après être arrivés chez quelqu'un, c'est qu'ils attendent de voir s'ils n'auront pas froid et s'ils vont sentir une *atmosphère de confiance.* Au pire ils peuvent partir, ou rester à table tout habillés… Sinon, ils tombent l'habit, mais n'ont pas encore fini d'enlever pour autant toutes leurs couches de protection. Ils peuvent paraître secs, peu commodes, réfrigérants pour autrui.

Je me souviens avoir lu à propos de la chanteuse Sade, apparemment si accessible, qu'*« un glaçon ne fondrait pas dans sa bouche »*… et l'on en a dit encore pire sur Ava Gardner, son port de tête altier et sa façon pandorienne de scruter les gens d'en haut… C'est que les natifs – et en particulier les femmes – sont souvent d'une plastique parfaite, et surtout d'une sensualité à fleur de peau… Parfaites pour les rôles d'héroïnes hitchcockiennes, on sent indubitablement **sourdre le feu** sous la retenue et l'autorité naturelles. Nombreux sont ceux qui sont étonnés et ravis de trouver chaleur brûlante et nuits d'ivresse après être parvenus, par hasard, à les approcher !

Mais bien qu'étant des êtres de chair et de terre, gourmands et souvent gros mangeurs, un fond moral en même temps que rigoriste subsiste chez les Capricornes. Selon eux, c'est trop facile, trop simple, trop inutile, trop désespérant surtout, d'utiliser son corps n'importe comment et avec n'importe qui. Mais surtout, le corps reste avant tout **le temple de l'âme.** L'impliquer c'est impliquer son âme et, en ce sens, ils sont bien incapables de se prêter sans raison d'amour vrai. Fidèles, sincères, ardents, oui ; mais échevelés à quoi bon ?...

Cela se comprend par le fait que la spiritualité et l'appel de l'Ailleurs – émergeant en Sagittaire – se développent ici et se trouvent véritablement à la première marche de sa progression. La montagne est aussi l'image de cette élévation lente mais inexorable de l'âme vers le Ciel, et c'est une image qui reste chère aux natifs. Au profit de l'âme, ils voudraient se débarrasser du corps, grimper tout là-haut où il n'y a déjà presque plus de terre, au milieu des nuages et des neiges éternelles. Là où tombent tous les masques et où leur propre recherche avide de possession et de réussite disparaît d'elle-même.

**Le Capricorne est la porte du spirituel.** Au mieux, si une âme sœur en laquelle il a confiance voulait bien le suivre, il allierait corps et âme pour le meilleur des paradis...

## 7. Savoir que l'on ne sait rien...

Cependant, là réside toute l'ambiguïté : aussi haut qu'il aille, même au sommet de l'Everest, il est encore sur la terre. Presque plus, mais tout de même encore. Il peut regretter toute sa vie durant de ne pouvoir s'envoler tout à fait et là, à tous les coups il perd le sens même de son existence. Ou alors plonger dans le matériel jusqu'au cou et perdre le sens de l'âme... Ou encore, se croire parvenu au sommet de la sagesse et de la connaissance, avoir atteint la certitude liée au respect absolu de la tradition ancestrale dont la montagne reste aussi l'image. Cette dernière éventualité reste le pire défaut possible du Capricorne : **croire** qu'on sait tout et qu'on a raison... depuis toujours et pour toujours.

**Sévérité, rigidité** et **autoritarisme** le rendent définitivement infréquentable. Et il faut bien la bombe uranienne du Verseau pour faire exploser la montagne de ses certitudes qui sont autant de **limites** – même si elles représentent forcément aussi une structuration et une solidité – pour lui rappeler que les choses peuvent aussi être autrement et le remettre en question. Mais aussi remettre la vie en marche... Pourquoi demain serait-il comme hier, **pourquoi demeurer au lieu de devenir ?**

Savoir que l'on ne sait rien, que l'**on n'a jamais raison en soi** et qu'il est possible que les choses changent, accepter sa condition charnelle et terrestre et afficher son goût sensuel et matériel, ne pas se prendre à un moment donné ou un autre pour « Dieu le père » au-delà duquel rien n'existe...

Ce n'est que lorsqu'il acquiert cette unique sagesse véritable que le Capricorne peut accéder à sa véritable dimension spirituelle.

Cronos mangeant ses enfants, c'est l'image de l'**anéantissement de l'avenir,** de la jeunesse en même temps que celle de la certitude – enfin définitive – de n'être jamais remis en question. **Mégalomanie** mortifère perpétrée au nom de la Tradition... Et il faut bien la sagesse du féminin pour que triomphent les valeurs de la vie et de l'amour. Ça tombe bien : le Capricorne – ô outrage ! – est un signe infiniment féminin...

Armoirie allemande de la fin du XIXe siècle,
représentant le Capricorne.

## 8. L'apport du Cancer

*N. B. :* pour quiconque veut un peu évoluer en astrologie et sortir des critères rebattus, il s'agit en tout premier lieu d'arrêter de considérer qu'il existe six axes de deux signes opposés chacun. Loin d'être opposés, ceux-ci sont jumeaux. **Le zodiaque est composé de six paires de signes jumeaux.** Ainsi, si chaque signe poursuit son objectif central, l'enjeu sur lequel repose le sens vivant de son existence, **la méthode pour y parvenir** (la « boîte à outils » et sa notice explicative) **se trouve dans le signe jumeau d'« en face »,** dont l'influence est décrite ci-après.

L'axe Cancer-Capricorne met en présence, sur la même photo, l'enfant et le vieillard sans que l'on sache toujours qui est véritablement qui, ce qu'illustrent les proverbes : « *La vérité sort de la bouche des enfants* », ou « *Avec l'âge on retombe en enfance* »…

Sur l'axe du temps auquel ils appartiennent ainsi tous deux, si le Cancer a tendance à en rester au stade d'enfant de sa mère, une partie de lui sait bien qu'arrivera le moment de **devenir le père de lui-même.** Cela signifie d'une part qu'il faut remonter plus loin que les géniteurs, pour **retrouver les valeurs universelles communes** à toutes les civilisations et s'intégrer dans la grande famille de l'humanité, souvent plus structurante que l'unique clan originel ; la prédilection du Capricorne pour les études, la philosophie et ses aspirations spirituelles permet d'effectuer ce détachement. Le Capricorne est symboliquement (et parfois textuellement…) **le signe du deuil des origines que tout Cancer doit effectuer.** Or, les psychanalystes vous diront que le vrai travail de deuil consiste effectivement à accepter de perdre ce qui venait juste avant soi, au profit de retrouvailles avec une source culturelle bien plus ancienne que l'on **choisit en toute liberté.**

La question est toujours de se demander d'où l'on vient et ce que l'on devient. S'il est incontestablement tendu vers son devenir et sa réalisation, le Capricorne ne doit pas pour autant oublier d'où il vient et mépriser le très profond attachement aux origines maternelles et à ses nécessités affectives, d'autant plus importantes qu'il veut les ignorer. Le Cancer en lui rend possibles la libération et l'expression des sentiments et des besoins affectifs, lui rappelant qu'il existe des choses au moins aussi importantes que le travail et l'ambition sociale. Le Cancer apporte la voix et **la sagesse du cœur,** ce qui est sans doute le plus grand des cadeaux qu'il puisse faire au Capricorne, à condition que celui-ci veuille bien s'ouvrir à son message.

## 9. L'apport du Gémeaux

A chaque signe correspond son « miroir contraire » mais aussi son « total étranger », un signe « martien » qui, parce qu'il possède exactement des valeurs qui sont totalement étrangères, lui apporte une leçon essentielle. Pour le signe du Capricorne, le « parfait martien » s'appelle **Gémeaux.** Si le Capricorne veut bien s'y ouvrir, le discours de cet absolu étranger sera pour lui autant de pistes de vie…

Au stade du Capricorne, l'aspirant – qui débutait son chemin parmi les hommes en Gémeaux – est passé de l'autre côté de la porte. **Dorénavant il sait,** car il s'est positionné du côté de l'**âme** et du **dépouillement.** Les valeurs capricorniennes fondamentales – qui sont celles de la structuration, de la persévérance, de la gestion à long terme, mais aussi de l'authenticité, du sérieux et de la stricte moralité – sont autant de trésors de conduite qui doivent permettre au Gémeaux de poursuivre son chemin avec succès et sécurité.

Pour le Capricorne, la légèreté et la fraîcheur du Gémeaux sont un véritable **élixir de jeunesse et de renouvellement,** en même temps qu'une remise en question d'une vérité qu'il croit acquise pour toujours, ce que le Gémeaux – qui sait sans le paraître – se dépêche de critiquer et d'annuler. Il n'existe pas d'incompatibles plus incompatibles et pourtant ils s'apportent mutuellement exactement ce qui manquait à chacun pour refaire le monde : le Capricorne parce que cela lui permet de renaître et de s'autoriser quelques « bêtises », le Gémeaux parce qu'il trouve la voie de l'âme et qu'il y gagne, enfin, une meilleure image de lui-même… Un échange équitable.

## 10. Synthèse

La Tradition appelle le signe du Capricorne **« la signature de Dieu »,** signe de Christ, son fils sauveur de l'humanité et, en ce sens, le considère sinon comme le plus difficile, du moins comme le plus *mystérieux* des signes du zodiaque.

Dans le Capricorne, en effet, existe la *chèvre matérielle* qui cherche sa nourriture au pied de la montagne et ne voit aucun autre sens à sa vie. Et puis, il y a la *chèvre sacrée* qui gambade dans les hauteurs et tend à rejoindre le ciel. La **licorne** surtout, animal mythique, symbole de force, d'androgynie et d'absolu…

Cette double caractéristique représente bien les antagonismes des natifs. Mais avant de jouer le rôle de sauveurs et d'éclaireurs qu'ils peuvent parfaitement tenir, le mieux est encore qu'ils n'oublient pas qu'ils sont êtres de sang, de chair et d'Amour… ce qu'ils peuvent partager – ils en ont le droit ! – avec leur entourage…

C'est là sans doute la plus grande des sagesses et des illuminations… en attendant le Royaume et la Gloire… hypothétiques.

Allégorie pour le Capricorne : la licorne de l'Esprit rencontre le cerf de l'Ame dans la forêt du corps… Croyez-vous vraiment que la passion soit absente de la partie ?

Le Capricorne, extrait d'un traité d'astrologie turque de
Mohammed ibn Hasan el-Saoudi (1582).
(Bibliothèque nationale, Paris.)

# II

# Comprendre le Capricorne

## 1. La structure élémentaire

✧ *SIGNE FEMININ :*

**Polarité féminine,** en langage astrologique, exalte la composante réceptive, passive, aimante et accueillante, grandes caractéristiques yin d'intériorisation du principe nocturne, humide et froid. Cela donne des dispositions à accueillir, comprendre, protéger, réconcilier et retenir plutôt qu'à extérioriser, aller de l'avant, diviser et revendiquer. Cela signifie aussi que le signe est généralement **mieux vécu par les femmes** que par les hommes, car il y a alors harmonie entre la polarité du signe et le pôle sexuel de la personnalité.

– Les **femmes** du signe affichent d'ailleurs une forte personnalité et sont facilement reconnues comme des personnes de caractère, tant il est vrai que les caractéristiques du signe semblent constituer un catalogue de ce qu'est *la Force faite femme.*

– Les **hommes** du signe ne sont pas pour autant dépourvus de caractère, mais l'aspect introverti de la polarité féminine les « empêtre » souvent, surtout dans une société assez peu encline à reconnaître les « hommes féminins ». Ils ont tendance à vivre les tendances négatives, rétensives et possessives du signe de manière outrée, voire pathologique, et accusent une propension à être fascinés par les femmes dominatrices. Leur rigidité tyrannique est très suspecte.

### ✧ *SIGNE DE TERRE :*

Tout comme la Vierge et le Taureau, le Capricorne appartient à l'élément Terre, ce qui lui assure à la fois une **abondance de moyens** et une **savante façon de les gérer.** Le sens pratique, la persévérance, la méthode, l'ordre, la précision et le suivi concret et réaliste des choses sont ses qualités qui, au négatif, se mutent en obstination, en lenteur, en matérialisme et en une sorte de frilosité qui, à l'excès, en fait un être inamovible et lent.

Complémentaire du Feu, l'élément Terre symbolise l'existence concrète des choses, mais aussi leur possible transmutation de réalisation en destruction. Il est associé à la charpente osseuse, à l'aspect corporel, au support physique et visible.

L'appartenance à la Terre est ce qui pose le plus problème aux natifs qui manifestent une tendance accusée à s'en défaire et s'en affranchir. C'est la Terre-matière sublimée, nue, craquelée mais qui existe néanmoins sous son rôle nourricier essentiel : protéger la graine, perpétuer la vie… Image d'ascèse des hauteurs où souffle le vent de l'esprit, cette terre-là est la réceptivité à la mort de toute manifestation, un appel à la transformation.

### ✧ *SIGNE CARDINAL :*

Comme le Cancer, la Balance et le Bélier, le Capricorne fait partie des signes cardinaux, ce qui lui donne la tâche d'**entamer un cycle.** Ces signes sont encore « habités » par le signe précédent car ils inaugurent la saison à laquelle ils appartiennent. Ils sont donc caractérisés par le **besoin d'évolution et de transformation,** par une vie intérieure – ou extérieure – en perpétuel mouvement, un tempérament de pionnier, d'éclaireur et d'initiateur. On peut dire aussi qu'**ils se cherchent encore** car ils ne sont qu'« ébauchés », contrairement aux signes fixes qui symbolisent la plénitude de leur saison d'appartenance.

L'**émotivité,** l'**affectivité** et le **courage** – mais aussi l'**idéalisme** inhérents à l'élément Feu – s'y expriment donc avec le maximum de pétillance, mais les **tendances à l'instabilité et à l'emportement** s'y trouvent aussi exacerbées. S'il manque toujours – au stade cardinal – la nécessité d'une vraie maturation, pour le Bélier, premier des cardinaux *(« premier des premiers »),* les qualités et les défauts généraux sont doublés.

Cardinal signifiant « gond de la porte », ces signes sont ceux qui se tiennent devant la porte, ceux qui l'ouvrent aussi. En ce sens, **le Capricorne ouvre la porte spirituelle et inaugure ce plan du cheminement zodiacal.**

✧ *TEMPERAMENT NERVEUX :*

C'est dire que le Capricorne, malgré les apparences, bout de l'intérieur et que **ses sentiments l'emportent dans tous les aspects de sa vie** autant que dans son équilibre mental et physique. Les excès d'humeur finissent (s'ils ne trouvent pas à s'évacuer) par épaissir le sang et le charger de diverses toxines, tant physiologiques que psychiques.

On notera aussi l'importance de l'état mental sur l'équilibre général, et notamment sur toutes les fonctions urétro-génitales et intestino-digestives qui sont si fortement soumises aux influences de « la tête » et de l'intellect. L'univers intérieur des nerveux a toujours besoin de se simplifier et de s'alléger, de ne pas se fixer sur une quelconque rumination émotive improductive afin que soient librement assurés les échanges organiques.

❖ *LES ETOILES DU CAPRICORNE :*

– **Sagitta :** la constellation de la Flèche n'a rien à
voir avec celle de l'Archer qui se trouve dans le Sagittaire. Ici, il s'agit de la flèche qui transperça le cœur
du Christ. En hébreu, *Sagitta* signifie « celui qui est
solitaire », ce qui renvoie à la solitude de celui qui, tel
le Capricorne, doit accomplir sa mission de Sauveur.
Le changement de phase du christianisme que nous
connaissons actuellement réside principalement dans
le fait que la mission de sauveur s'accomplit plus en
rejoignant un groupe fraternel d'initiés auquel on
s'allie (la conspiration du Verseau) (1), qu'à travers la
solitude d'une douloureuse mission personnelle, ascé-
tique et finalement involutive.

– **Aigle :** cette constellation appartient au Sagittaire
comme au Capricorne ; c'est l'oiseau de lumière, symbole de l'aspect le plus élevé de l'être, âme arrivée à
accomplissement.

– **Dauphin :** symbole du fils de Dieu qui agit sous
la Loi mais sait jouer des éléments, vivre dans l'eau
comme dans l'air et développer une connaissance
ultrasensorielle tout à fait exceptionnelle à laquelle
l'homme peut encore difficilement prétendre être arrivé, mais qui constitue pour lui une perspective d'évolution.

♑ Capricornus

---

1. Voir de Marilyn Ferguson : *Les Enfants du Verseau* (Calmann-Lévy).

Janvier, enluminure extraite des *Très Riches Heures du duc de Berry* (début du XVe siècle).

## 2. Mythologie du signe

### a) Chèvre-poisson ou Makara : des bêtes qui montent, montent…

Ce dixième signe, né au moment du solstice d'hiver lorsque, d'après Jung, *« le soleil monte comme une chèvre sur les plus hautes cimes puis redescend dans l'eau comme un poisson »,* est marqué par le symbolisme d'un bestiaire fabuleux et… grimpant !

La double présence constante de l'Eau et de la Terre dans le signe rappelle les origines du monde, lorsque le mouvement de poussée d'une montagne produit automatiquement la naissance d'une mer à ses pieds.

Il est **chèvre avec une queue de poisson** (comme Pan), il émerge de la coquille de l'inconscience pour se hisser vers le haut comme sur la représentation des *Très Riches Heures du duc de Berry,* tel un bernard-l'ermite un peu grotesque mais certes courageux. Il peut aussi être associé à l'*Aigokeros,* chèvre magique.

Le passage de la Terre à l'Eau n'est pas sans rappeler le profond lien spirituel qui unit les signes du Capricorne et du Poissons, la naissance de Jésus et le signe du christianisme primitif, ainsi que l'ère chrétienne du Poissons dans laquelle nous sommes toujours, le poisson étant symbole de dissolution spirituelle dans le Tout.

Cette nature, qui participe à la fois du terrestre et de l'aquatique, rappelle la nécessité vitale de la **coupure** d'avec le monstre maternel originel, *Magna Mater* liquide, gigantesque, envahissante et engloutissante. Morceler le monstre, le couper ; sortir de là et se hisser vers le haut semble être une allégorie de la maturation de l'être et de sa croissance. Ainsi, dans l'un des plus anciens mythes fondateurs du monde de la mythologie assyro-babylonienne, trouve-t-on le couple **Noum** et **Naunet** appelé *« quelque chose qui sort de l'eau »,* ainsi que la figure du bouquetin – poisson **Ea** que l'on retrouve dans la mythologie sumérienne sous le nom d'Enki.

Dans cette drôle de figure symbolique se trouvent représentés à la fois l'**influence primordiale et totalitaire de la mère et son affranchissement,** ce dont parle également le mythe de Cronos-Saturne, lui aussi intrinsèquement lié à l'image essentielle de Gaia qui rappelle la Terre-mère, mais aussi à la Lune qui renvoie au Cancer.

Avant d'être représenté par la figure de la chèvre-poisson, le signe était figuré par un **crocodile** (ou par un crocodile fabuleux appelé *makara*) dans bon nombre des zodiaques originaux. Ainsi, dans le zodiaque sanscrit, le *makara* correspond-il au solstice d'hiver, « porte des dieux » par où les âmes montent se fondre dans l'univers transcendantal selon les pythagoriciens.

**Solstice d'hiver :** moment où la nuit est la plus longue et le jour le plus court, ou moment à partir duquel la nuit sera de moins en moins longue et le jour de plus en plus long ? Toujours est-il que le monstre avale et dévore le corps pour rejeter plus tard l'homme régénéré, transcendé. C'est un **passage alchimique de la vie du corps à la vie de l'âme** qui est figuré par ce symbole, et l'on retrouve, là encore, l'image de Saturne qui dévore puis recrache, ou de **Jonas** englouti par la baleine jusqu'à ce qu'il se trouve lui-même…

L'Eau et la Terre sont, là encore, toujours liées. Ainsi est-ce la juxtaposition du Ciel, auquel aspire le Capricorne, et de l'Enfer, par lequel il faut passer pour parvenir à autre chose, le corps se détachant de l'âme qui peut alors s'élever. Le rôle des dieux crocodiles est d'activer ce passage alchimique du corps à l'âme : cela est vrai du *makara,* monture du dieu lunaire indien **Varouna,** du dieu égyptien **Soukhos-Sobek,** comme du crocodile **Loutembi** vénéré en Afrique au bord du lac Victoria, ainsi que dans de nombreux mythes malgaches.

### b) La *Prima Materia*

Dans un manuscrit alchimique datant de la fin du XVI<sup>e</sup> siècle (2), on trouve l'image de Saturne – ou « Mercure vieux » – cuit dans un bain jusqu'à ce que la colombe de l'esprit délivrée s'élève au-dessus de sa tête. Ce bain originel, comme l'humus que constitue ses enfants dévorés, établit une analogie entre le Capricorne et la *Prima Materia,* la **voie de transformation du plomb en or.** Il s'agit de l'Œuvre au noir, première phase de putréfaction de la matière avant l'élaboration du grand œuvre.

De même qu'il y a juxtaposition entre jour et nuit, entre hiver et renaissance, de même que les corps vont aux Enfers d'où renaissent les âmes libérées, de même qu'il y a « dévorations » – que ce soient celles des dieux-crocodiles ou de Saturne – puis régénération, l'accomplissement ne peut venir qu'après cette phase principielle de la *Prima Materia* analogique au Capricorne.

2. Voir de Carl Gustav Jung : *Psychologie et alchimie.*

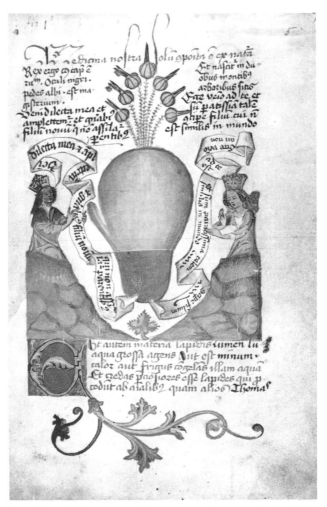

La *Prima Materia,* ou matière « crue », imprégnée du fluide
cosmique *(Spiritus Mundi)* qui est la vie de toutes choses,
revêt au printemps de l'Œuvre la couleur verte de la vie.

(Manuscrit alchimique de Johannes Andreae, XVᵉ siècle ;
British Museum, Londres.)

## c) Pan, le dieu total

La figure monstrueuse et « pan-iquante » (en le voyant, les nymphes étaient saisies de panique ce qui, après tout, semble n'être qu'une des formes du désir…) du dieu Pan se rattache au Capricorne à bien des égards.

Fils d'Hermès-Mercure, il est représenté sous une forme monstrueuse : **mi-homme mi-bouc,** le menton saillant, une expression de ruse bestiale sur le faciès, le corps velu, les pieds pourvus de sabots, le sexe protubérant et dardé, très proche de Satan ou des satyres avec lesquels il est souvent apparenté.

Rapide à la course, prompt en sexualité, protecteur des bergers et des agriculteurs, il est d'une insatiabilité bisexuelle légendaire, d'autant qu'il a la réputation de se consoler soit seul soit avec des chèvres lorsque, par hasard, il ne parvient pas à attraper autant de nymphes ou de jeunes gens qu'il le voudrait dans sa journée.

Mais Pan est surtout un **créateur génial :** fécond et fécondant, musicien, artiste, sensible… il est extrêmement aimé sur l'Olympe où son père l'emmène dès sa naissance. Dionysos en particulier, le grand initié, reconnaît en lui un être exceptionnel. Zeus lui accorde toutes ses pensées et ses protections.

En effet, loin d'être un dieu lubrique et sauvage, Pan incarne l'ambiguïté de l'âme humaine et apparaît avant tout comme un sage, cultivé, spirituel, lucide et initié aux Mystères. **Pan signifie Tout :** *Tout* cosmique, *Tout* spirituel, Unité totale et retrouvée… Fils d'androgyne et androgyne lui-même, bisexuel, fornicateur et cependant musicien génial, sensible et bestial néanmoins : voyez comme les apparences peuvent être trompeuses et comment, derrière une forme si disgracieuse, peut se cacher une élégance d'âme hors du commun…

*L'Offrande à Pan.*
(Musée du Petit Palais, Paris.)

Deux légendes principales se rapportent à ce caprin, dieu de la totalité. La première le relie – sous la plume de Plutarque – à l'épisode d'un vaisseau qui s'immobilise sur les eaux de la mer Egée. Une voix s'éleva pour demander au navigateur de crier : « *Le grand Pan est mort* » lorsqu'ils parviendraient près des côtes. Le pilote, après bien des hésitations, se décida enfin à annoncer sa mort et aussitôt s'élevèrent de toutes parts des gémissements et des plaintes douloureuses, comme si la terre entière prenait le deuil. Selon les auteurs chrétiens, la mort de Pan figure la fin du paganisme que remplacera le christianisme, avec la naissance de Christ sous le signe du Capricorne. On voit cependant ici que le signe est lié à la religion et à l'évolution de celle-ci, de son aspect global, multiple et total qui précédait le christianisme à l'avènement de celui-ci.

La seconde légende rejoint la figure ambiguë de la chèvre-poisson, et n'est pas non plus sans lien avec l'avènement du christianisme entre les signes du Capricorne et du Poissons. Après que Typhon ait arraché à Zeus-Jupiter les attributs de sa virilité (!), son très cher ami Pan fut convié à les lui rapporter. Rendre ainsi la virilité et la fécondité au dieu des dieux prouve un pouvoir et une connaissance tout à fait incroyables… Se cachant dans l'eau pour échapper à Typhon, Pan vit sa partie caprine inférieure se transformer en queue de poisson. Ce fut alors l'avatar de l'**Ægipan, chèvre-poisson ou capricorne…**

## d) Saturne-Cronos, l'infanticide

Dans la lignée des Titans, **Cronos-Saturne** est le plus jeune fils d'Ouranos et de Gaia, c'est-à-dire qu'il fait partie de la première génération des dieux. Son père dévorant ses enfants un à un, Saturne-Cronos décide alors – sur les conseils de sa mère qui l'arme

Saturne… à l'impitoyable faucille.

(Bas-relief d'Agostino di Duccio, ornant le Temple de Malatesta à Rimini.)

d'une faucille qui restera son principal attribut – de l'émasculer. Acte grandiose dont naîtra Aphrodite-Vénus dans les eaux de Neptune. Néanmoins, de cette mort d'Ouranos on n'apprend rien, puisque Saturne-Cronos (son fils) reproduit la même situation, dévorant un à un les enfants que lui donna Rhéa, sa sœur et épouse. Ainsi dévore-t-il Hestia, Déméter, Héra, Pluton, Poséidon.

Enceinte de Zeus, Rhéa décide d'un stratagème : au lieu de donner le bébé à Saturne-Cronos, elle lui donne une pierre et cache son dernier-né, élevé au loin par la chèvre Amalthée. A son tour, elle arme le bras de son fils qui, devenu adulte, tue son père Cronos et l'oblige a recracher un à un ses frères et sœurs. C'est ainsi que se peuple l'Olympe sur laquelle règne Zeus...

C'est une histoire de père et d'image-père, de référent masculin et viril, qui est ici très directement racontée. Mais n'est-ce pas plutôt une histoire de mère absolue, typique de l'axe Cancer-Capricorne ? Car Ouranos n'est que le fils que Gaia eut d'elle-même avant d'en faire son mari, et c'est elle qui décide de sa vie. De même que Rhéa, finalement, qui reproduit le même geste avec un Cronos tout à fait obéissant puisque habitué – depuis la fameuse grand-mère – à obéir aux femmes totales. **L'absence de père, le manque de référent masculin et viril** est sans doute une marque profonde de la psychologie capricornienne. Il ne reste plus qu'à devenir seul, et sur le plan de l'âme. La dure loi **entièrement féminine** qui s'exerce ici pourrait se résumer à *« renoncer à son père pour devenir père de soi-même »*.

Après la mort de l'amour et de la tendresse, c'est l'âme spiritualisée et évoluée qui devient l'apanage du natif qui, avec Jules Supervielle, peut dire :

*« Plus pauvre chaque jour de tout ce que je quitte,*
*Puissé-je retenir le peu qui ressuscite... »*

Enfin, on attribue trop souvent Chronos (le Temps) au Capricorne, au lieu de Cronos. C'est une erreur phonétique (Κρονοσ et non Ηρονοσ) qui fait confondre les deux termes grecs et dire que Saturne est la personnification du Temps...

## 3. Correspondances dans la mythologie égyptienne

Différente de l'astrologie occidentale dont elle est en partie l'origine, l'astrologie égyptienne apporte un autre éclairage aux signes et en découvre des aspects particuliers selon les périodes de naissance. On s'y référera pour élargir le champ de vision de son signe solaire occidental.

## a) Natifs du 22 au 31 décembre : sous le signe d'Isis

Isis ou la patience : l'âme inscrite dans la plus lucide des quêtes, cette amoureuse superbe se fit messagère de la vie. Suprême magicienne, les orgueils et les mesquineries succombent devant elle, comme des lueurs trompeuses s'évanouissent au lever du jour clair. C'est en la puissance d'amour et de rédemption que la plus illustre des déesses égyptiennes trouve la force de protéger sous ses ailes tous ceux qui allaient dépérir d'amertume, faute de croyance en la générosité sauvage des élans vitaux. Isis, seule et fière, stimulée par toute la force de l'attachement qui la voue à son frère et époux Osiris, est la mère de la nature vivante. Inlassable foyer de résurrection et d'indulgence profonde, Isis est souvent représentée sous la double protection de la croix ansée et d'un nouage, emblèmes de la perpétuation des origines et des descendances.

Naître sous l'exigeante protection d'Isis confère au natif une dimension de solidarité et d'union. Les natifs de cette période sont aptes à cultiver la noblesse de l'accueil. Il leur est recommandé d'aller là où ils pourront donner la vie et veiller sur elle. Il leur faut savoir accueillir, mais aussi apprendre à garder bien pures en leur âme leurs exigences, sans les croire trop cruellement remises en question lors de chaque déconvenue.

– *Signes amis :* Osiris et Thot.
– *Couleurs bénéfiques :* bleu (femmes) et blanc (hommes).

## b) Natifs du 1er au 21 janvier : sous le signe d'Amon-Râ

Râ est le principal dieu de l'Egypte ancienne, le foyer cosmique de la roue du Temps. Son culte solaire confère à l'ensemble du panthéon égyptien une évidence de clarté. Râ, modèle de toute-puissance et de toute-grandeur, première divinité à s'être affranchie du chaos primordial liquide, fournit le souffle pour animer les tout premiers élans des énergies naissantes. Sans la bienveillance d'absolue fécondité de Râ, c'est toute la substance du monde qui, dans une mélancolie sans limite, rentrerait dans l'anéantissement d'où elle est sortie. Râ, lumière du pur contour, fait darder ses rayons jusqu'au cœur et au visage des humains. Il ouvre la bouche de l'homme à la parole, donne la vie à l'enfant dans le ventre des mères.

Sur ce modèle, les natifs se montrent d'une grande générosité et doivent orienter leurs choix vers des occasions de grande fécondité. Ils bénéficient d'une grande force d'éveilleurs et, à leur contact, on se sent rassuré et prêt à donner le meilleur de soi-même. Naître sous le signe de ce dieu – qui tend à l'exercice de l'universalité – est tout à la fois un atout et un défi.

La trajectoire des natifs ne saurait se confondre avec l'horizontalité d'une diplomatie souriante. Leur esprit revêt la couleur de la profondeur méditative, et si les sentiments qu'ils ressentent ou qu'ils provoquent n'ont pas l'élan de l'absolu, l'idée de ne vivre qu'à moitié les plonge dans l'amertume et la neurasthénie.

– *Signes amis :* Isis et Horus.

– *Couleurs bénéfiques :* vert (femmes) et mauve (hommes).

Isis.                                          Amon-Râ.

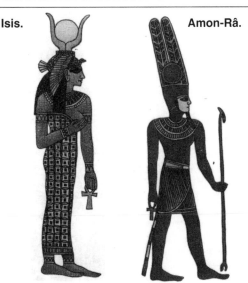

(Dessins : Editions Gendre-Cartax.)

Ne prenez pas ces mythes pour des historiettes sans intérêt !

A des niveaux plus ou moins importants, ces images tapissent l'imaginaire des natifs, et ces « drames » se vivent en chacun d'eux, aux moments clefs de leur existence. Les avoir repris ici en détail a pour but de mieux comprendre les moteurs essentiels de la personnalité.

## 4. Synthèse

*Délivrer Prométhée.*

Dans le travail analogique au signe du Capricorne, *la destruction de Cerbère,* le but de l'aspirant Hercule est de délivrer Prométhée. Pourquoi Prométhée ? Parce que simple mortel, il **déroba le feu divin et voulut être immortel,** se prenant pour plus qu'il n'était. Mais

La constellation Sagitta (ou la Flèche, ou le Cocher).
(Bibliothèque des Arts décoratifs, Paris.)

Prométhée, on l'a vu dans *le Sagittaire* (3), obtient finalement son immortalité car le sage Chiron l'échange avec lui. Or Chiron est fils de Cronos. Le lien entre les signes du Sagittaire et du Capricorne est de toute façon très clair, car ils se tiennent tous deux devant le portail entrouvert sur le chemin initiatique.

L'aigle qui dévore le foie de Prométhée est la représentation de la **culpabilité typique du signe.** Parvenant à faire fuir l'oiseau, Hercule délivre Prométhée et lui permet de sortir des Enfers puisqu'il a tué Cerbère, le chien-gardien à trois têtes. Il s'agit d'un épisode de **transfiguration** et de **résurrection,** celle de l'âme au détriment du corps, d'une vie à un autre niveau de vie. Il ne s'agit ni de se prendre pour un initié alors qu'on entrevoit tout juste les premières lueurs de la transfiguration (erreur extrêmement typique des natifs du Capricorne qui clament trop facilement qu'ils ont raison et transforment manifestement leur complexe d'infériorité en complexe de supériorité), ni de s'arrêter pour autant. S'occuper à affiner son âme – pour de vrai ! – est la seule voie d'ascension possible et véridique à ce stade.

Alice A. Bailey conclut ainsi (4) : *« Si vous êtes nés sous le signe du Capricorne, ne vous mettez pas en tête que vous êtes des initiés. Mettez plutôt l'accent sur le sens des proportions et sur votre juste place dans l'évolution collective... »*

---

3. Dans la même collection (Editions Dangles).
4. Voir, de Alice A. Bailey : *Les Douze Travaux d'Hercule* (Dervy-Livres).

## 5. Résumé : forces et faiblesses du Capricorne

### a) Les forces du signe

- Rigueur, méthode, organisation, résistance…
- Prévoyance, persévérance, responsabilité, prudence…
- Calme, profondeur, intériorité, pudeur…
- Sensibilité, musicalité, humanisme, solidarité…
- Sens du devoir et de la protection…
- Intégrité, fiabilité, sincérité, authenticité…
- Lucidité, réalisme, solidarité, fidélité…
- Sens du tact et de la diplomatie…
- Envergure intellectuelle, philosophique et spirituelle…
- Sensualité, épicurisme, humour, dérision…

### b) Les faiblesses du signe

- Rigidité, idées fixes, monomanie, sclérose…
- Matérialisme, calcul, goût des honneurs…
- Introversion, égoïsme, froideur, mépris…
- Timidité, culpabilité, pessimisme, méfiance…
- Découragement, rancune, convoitise, envie…
- Avidité, avarice, économie de « bouts de chandelles »…
- Goût des principes, des normes, des règles…
- Dureté, méchanceté gratuite, agressivité, tyrannie…
- Se croit « choisi » et investi d'une « mission »…
- Possessivité, jalousie, esprit soupçonneux…

≈≈ ♓ ♈ ♉ ♊ ♋ ♌ ♍ ♎ ♏ ♐ ♑

# III

# Les ascendants du Capricorne

Comme nous l'avons dit dans l'« Introduction », le signe ascendant, représentant la maison I, reflète votre personnalité.

Sur le plan astronomique, si le signe solaire indique la position du Soleil au mois de la naissance, l'ascendant pointe la position du Soleil aux jour et heure de naissance. Si le Soleil indique métaphoriquement la façon dont on perçoit la lumière, l'ascendant indique la manière dont on voit « midi à sa porte » et, à l'intérieur d'un même signe, chaque ascendant permet de le voir différemment, c'est-à-dire de **percevoir la réalité sous une autre facette...**

En ce sens, l'ascendant est un miroir grossissant à travers le prisme duquel on se voit et l'on est vu. Il est donc très important et, afin de mieux en cerner les caractéristiques générales, nous vous recommandons vivement de lire l'ouvrage de cette collection qui lui est consacré. En attendant, vous trouverez ici une première approche succincte de votre signe solaire avec les correctifs donnés par les 12 ascendants.

Si vous ne connaissez pas encore le signe de votre ascendant, son calcul – sans être très complexe – est néanmoins assez long et délicat, devant se référer à quatre tableaux différents. Nous vous conseillons de vous le faire préciser instantanément par un serveur astrologique télématique ou un ordinateur de calculs astrologiques.

## 1. Capricorne/ascendant Bélier

Structure difficile à vivre, mais qui ne présente pas que des inconvénients : en effet, l'aspect fermé et prudent du Capricorne empêche l'aspect Bélier de faire trop de bêtises et de dépenser une énergie qu'on a toujours intérêt à garder un peu pour soi. Le côté Bélier, en revanche, permet d'être optimiste et audacieux et de ne pas tomber dans les limitations et les scléroses capricorniennes qui viendraient presque faire renoncer à la vie vraie. La combinaison fait de bons bâtisseurs qui allient l'impulsion du désir de construire à la concrétisation et au labeur qui permettent d'aller jusqu'au bout de l'idée et de la transformer en réalité.

Cette structure augmente néanmoins le degré d'exigence et de sévérité, mais aussi la pureté intérieure et la recherche d'authenticité. Les natifs sont très profondément heurtés par les mesquineries et le manquement à la parole. Ils sont comme des rocs de sincérité, même maladroitement exprimée, et leur cœur et leur fidélité en prennent souvent un coup. Il faut leur apporter du rire, de la légèreté, de la dérision et réveiller leur sensualité très forte – mais un peu refroidie sous une couche de frustration et de culpabilité. Et pourtant, quelle chaleur humaine sous cette glace !

## 2. Capricorne/ascendant Taureau

De nature plus patiente, plus calme, tenace et prévoyante, ces natifs voient la vie avec réalisme et pondération. Beaucoup de simplicité et d'authenticité, avec un côté « près de la nature » : écologistes nés et grands amoureux de la montagne avec laquelle ils feraient volontiers l'amour, en été…

Le Capricorne, extrait du *Catalogue des Etoiles* de
Abd al-Rahman al-Sufi.
(Manuscrit arabe du xvᵉ siècle ; Bibliothèque nationale.)

Leur fond sensuel et jouisseur apparaît nettement plus que chez un pur Capricorne et ils sont, du coup, moins fermés et moins frustrés sur ce plan, tout en recherchant imparablement vérité et sincérité dans leurs engagements. Ils ont besoin de projets à bâtir, de travail à mener à bien et présentent des valeurs morales inattaquables. Les enfants et la famille restent leur centre. Avec l'âge, la philosophie vient s'ajouter à leurs dons manuels.

## 3. Capricorne/ascendant Gémeaux

La combinaison se révèle plutôt positive car elle corrige les excès négatifs de l'un et de l'autre signe. Leur lucidité ne s'attendrit jamais, leur réalisme pratique fait des merveilles, leur résistance à l'illusion en étonne plus d'un. Ils créent des choses minutieuses, précises, avec application et réflexion, étant beaucoup plus ambitieux qu'ils ne le paraissent et plus persévérants aussi que les autres Gémeaux.

Ils rient cependant plus facilement que les vrais Capricornes, font preuve d'humour et de détachement et demandent surtout de la patience et de la constance. Ils sont d'habiles conseillers.

## 4. Capricorne/ascendant Cancer

Nature tour à tour tendre, ludique, dépendante, rêveuse, sensible et pleine de poésie... puis froide, dure, distante, autonome, lucide, ambitieuse et moraliste, avec un incurable romantisme de fond. Ils ont souvent du mal à vivre, dominés par un immense sentiment de frustration et d'abandon, une tendance à se replier dans la régression et la bouderie, dans la certitude d'être incompris.

Socialement appréciés, ils ne rêvent que de chaleur et de relation fusionnelle qu'ils ne s'autorisent pourtant jamais. Aidez-les, quoi ! Ils ont heureusement l'humour et l'authenticité en plus, et lorsqu'on a fait fondre la glace… quelle crème !

## 5. Capricorne/ascendant Lion

Plus de structure, de persévérance, de profondeur et de diplomatie que les Lions purs. Rigides et intransigeants aussi. Partagés entre une bonne image d'eux-mêmes et un sentiment de frustration affective, ils ont besoin d'être aimés, soutenus et rassurés.

Les femmes ont une beauté « glaciale » qui masque une vraie simplicité de fond, sinon une certaine douleur qu'elles cachent en étant pour ainsi dire de « vrais mecs ». L'extérieur et la représentativité intriguent ces natifs, mais ils finissent toujours par s'en méfier, accordant difficilement leur confiance. Complexe…

## 6. Capricorne/ascendant Vierge

Ils habitent un univers strict et triste, sérieux, lucide. Ils sont intransigeants de précision et de prévisions. Leur pensée est philosophique et vous pourrez toujours les compter parmi les tout derniers des justes. Ils paieraient pourtant très cher pour exploser et sortir d'eux-mêmes, se débrider et vivre bordel !

Mais, en dehors de l'essentiel, rien ne leur paraît accessible. Tous les grains de folie sont les bienvenus, mais ils surveillent leur nourriture… Et puis, si à coup de pioche on arrive au cœur, on trouve un vrai havre d'amour, pur et intact…

## 7. Capricorne/ascendant Balance

Ces natifs détiennent l'empire de la mélancolie. Un rien, qui réveille de lourdes profondeurs, empoisonne leur joie de vivre. Ils sont vrais, authentiques, plus affectueux qu'ils ne le disent. Très soucieux de justesse, de sagesse et de discipline avec une âme prête à vibrer à tous les appels du spirituel. Diplomates nés, ils mesurent, tempèrent mais tranchent dans le vif beaucoup plus facilement que les Balances habituels.

Leur conformisme et leur sévérité de base ne demandent qu'à être réveillés. Les natives sont de fortes femmes qui ont tendance à bien porter les responsabilités et n'avouent pas leur grande fragilité. Les hommes ne veulent pas dévoiler leur fragilité ni leurs frustrations, et finissent par fonder des foyers harmonieux dont ils sont les patriarches.

## 8. Capricorne/ascendant Scorpion

Quoi que ces natifs montrent d'eux-mêmes, ce qu'ils cachent est nettement plus important, car ils ne savent pas exprimer ce qui les habite pourtant de façon impérieuse et encombrante. Energie, volonté, intelligence et élans sexuels sont teintés de rédemption.

Ils sont pourtant si tendres derrière leur froideur pudique et leur goût du secret et de l'isolement ! Leur conscience collective est très développée, et ils sont prêts à livrer toutes les batailles métaphysiques.

## 9. Capricorne/ascendant Sagittaire

Leurs immenses et généreux élans sont frustrés, coupés net par une certaine idée du doute et une certaine pratique de l'exigence. Ils poursuivent la sagesse à coups de morale, de dogmes, de persévérance et avancent ainsi à pas de géants raccourcis, des certitudes plein leurs bottes de sept lieux…

Mélancoliques, ils vivent comme de beaux diables en boîte, soumis à un risque d'implosion… et explosent de temps à autre. Mais leur authenticité, leur sincérité et leur fidélité sont incomparables et l'humanité a bien besoin d'eux pour évoluer…

## 10. Capricorne/ascendant Capricorne ♑♑

Ils sont surtout seuls au monde, se sentent mal compris, mal aimés, mal intégrés car ils le sont d'abord par eux-mêmes. Très dépressifs, peureux, douloureux, ils ne rendent pas la vie agréable alentour.

Tout est toujours systématiquement noir avec eux, mais ils aiment bien qu'on leur renverse un pot de peinture rose sur la tête… Derrière la glace, c'est la tendresse et le désir sensuel qui veillent… Alors, à vous de jouer !

## 11. Capricorne/ascendant Verseau ♑♒

Pour eux, c'est aujourd'hui demain car ils sont détachés des choses concrètes et matérielles et aspirent à la spiritualité fraternelle et humanitaire plus qu'à toute autre chose.

Libres, travailleurs, épris d'espace, ils sont à la fois bourrés de projets et de recettes concrètes pour les réaliser. Moins rigides que les autres Capricornes, ils sont sympas à vivre…

## 12. Capricorne/ascendant Poissons ♑♓

Intuitifs, affectueux, sensibles, ils ont peur d'être déçus et échaudés, et comme ils n'ont aucune défense pour blinder leur cœur, ce n'est jamais très simple pour eux. Leur besoin d'intégration est souvent très grand et impossible à satisfaire. Ils ont de grandes idées humanitaires et mystiques qu'ils veulent partager avec autrui, mais se laissent aussi avoir au piège de la croyance et des énergies…

Ils sont bonne poire et, lorsqu'ils s'en rendent compte, ils peuvent devenir exécrables !…

L'Hermite du tarot de Marseille, analogique au Capricorne.

# IV

# Energie et santé

## 1. Lecture cosmogénétique du zodiaque

Poussière d'étoiles, jumeau énergétique du cristal, de l'océan autant que du chimpanzé (lui-même plus proche de l'homme que du gorille…), l'humain reste un élément de la matrice cosmique qui, par l'intermédiaire de la matrice-mère, lui a permis de s'incarner… par un hasard que même les astrophysiciens les plus avancés sont toujours en train de chercher à découvrir et à expliquer. La plus grande des magies – celle du mouvement permanent des ondes vibratoires – se joue *autour* de nous, *en* nous, *avec* nous, *grâce* à nous, mais aussi parfois *malgré* nous lorsque nous l'ignorons. Les recherches scientifiques les plus pointues viennent aujourd'hui rejoindre la Tradition pour nous redonner conscience de notre identité énergétique sur laquelle nous continuons de fonctionner et qui nous spécifie tout particulièrement.

**L'astrologie nous connecte directement sur cet univers vibratoire dont nous sommes issus** et que nous portons en nous, à travers l'équilibre – ou le déséquilibre – qui s'établit entre nos trois corps (physique, mental et éthérique). Un thème astrologique est ainsi la carte des circulations énergétiques harmoniques ou disharmoniques dont nous sommes journellement le théâtre ; elle permet de voir immédiatement

**le type des énergies qui sont véhiculées par les pla-
nètes en présence,** et par les aspects que celles-ci forment entre elles. Au moment où l'Occident retrouve le
sens de l'énergie et où pullulent les tentatives de
mieux l'appréhender pour mieux la maîtriser, il est
bon de rappeler que l'astrologie est, depuis des millénaires, le premier outil que l'homme se soit trouvé
pour se replacer dans l'univers vibratoire dont il est né
et pour tenter d'en percevoir le sens et les possibles
illuminations.

A chaque planète correspond ainsi une *énergie précise* et à chaque signe correspond une *identité énergétique* qui trouve ses manifestations dans tous les
domaines du vécu ; en particulier lorsque la circulation
ne se fait pas et que s'installent les nœuds gordiens
qui bloquent l'harmonie, dans le domaine de la santé
apparaissent alors divers troubles, voire des maladies.
Puisque chaque signe fonctionne sur une énergie précise qu'il utilise toujours d'une manière chronique, les
déséquilibres et les troubles qui le guettent peuvent
être répertoriés et corrigés. C'est alors la **recherche
d'un meilleur équilibre** entre *excès* et *manques* qui
rétablit le bon fonctionnement de la circulation énergétique et du bien-être général de l'individu.

## 2. Les mots clés de l'énergie Capricorne

– **Endurance :** ambition de tout ordre et à tous
niveaux. Désir de progresser, de grandir, de prendre le
pouvoir et la maîtrise. Construire, s'améliorer, se pro-
pulser vers les sommets convoités. L'ambition est au
cœur des activités du Capricorne, moteur violent qui
lui permet de se projeter en avant et d'abolir tous les
obstacles. Il abat une besogne impressionnante et
gigantesque dès lors qu'il s'agit de s'affirmer sur ce

plan. Redoutable par sa ruse et son endurance, il a les atouts pour être un challenger social réussi.

– **Extinction :** il y a ceux dont la force réside dans la capacité à dire « oui », à relever les défis et à croire en ce qu'ils font, sans peur ni défiance. Et puis il y a le Capricorne dont la force vient entièrement du fait de dire « non » : un non opposé à la vie elle-même, à l'extérieur, à l'instinct, au désir, à l'avenir... La spontanéité s'en trouve éliminée, les élans et la puissance vitale éteints. Blocage, retardement, filtre, défiance et

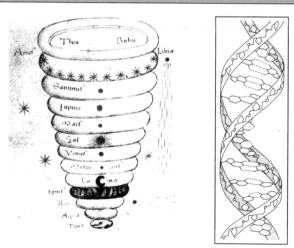

Le schéma de l'ascension mystique, illustrant les énergies planétaires marquant les paliers de l'évolution de la conscience (manuscrit d'astrologie du xvᵉ siècle, à gauche), se retrouve dans la structure aujourd'hui connue de la molécule d'A.D.N. (à droite). Confirmé par la théorie des fractals, récemment découverte en physique, le lien entre le macrocosme et le microcosme est enseigné par la Tradition depuis des siècles. Par l'existence de ses trois corps, l'homme participe à son origine cosmique.

tests de passage : on s'en lasse car enfin, si dire non à tout donne l'illusion d'une certaine force, c'est surtout celle qui consiste à tuer les poussins dans l'œuf…

– **Rétention :** le stock énergétique est énorme mais il est indisponible, bloqué par des tonnes de glace et de retenue. L'énergie est pétrifiée, sanctifiée, empaillée, calcifiée sous la peur et le besoin dramatique de maîtrise que l'on confond avec l'autoprotectionnisme. Du coup, le fabuleux potentiel d'énergie reste indisponible et le danger survient lorsque, au lieu d'être une richesse, il devient un nœud gordien, un bouchon asphyxiant et auto-intoxiquant.

## 3. Les correspondances énergétiques

### a) La Tradition indienne

Avec le signe du Cancer, le Capricorne correspond au **Svadhisthana chakra,** second chakra (1) de vibration orange appelé aussi *chakra sacré.* Il nous renvoie à une combinaison des éléments Eau et Terre, de composante féminine. Sa tonicité vibratoire est réduite, car elle est fonction de la bonne circulation des émotions.

L'**émotivité** est ici particulièrement pointée, car elle est au centre des interrogations et de la problématique de l'axe. *Svadhisthana* est aussi **le lieu de la circulation de la nourriture,** c'est-à-dire le lieu où l'énergie de l'Esprit produit de la matière grâce aux aliments digérés, et assure la redistribution substantielle dans le corps entier. Le corps physique, ou *Annamaya-Kosha* (corps de nourriture), est particulièrement mis en avant à ce stade de la circulation de

---

1. *Chakra,* ou centre d'énergie. Le corps humain en comporte sept. Voir l'ouvrage de Lilla Bek : *Vers la lumière. L'éveil de vos centres énergétiques* (Editions Dangles).

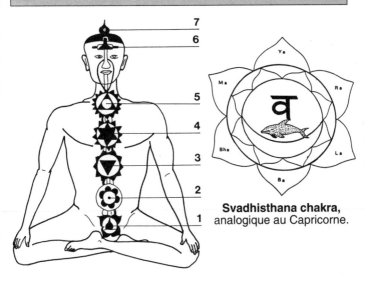

## CHAKRAS HINDOUS ET LEURS CORRESPONDANCES ENERGETIQUES

**Svadhisthana chakra,** analogique au Capricorne.

7 . **SAHARSRARA** (chakra coronal – Porte du Ciel)
*Pierre de rééquilibrage :* diamant.
6 . **AJNA** (chakra frontal – Troisième œil)
Axe LION-VERSEAU.
*Pierre de rééquilibrage :* jaspe.
5. **VISUDDHA** (chakra laryngé – Gorge)
Axe GÉMEAUX-SAGITTAIRE.
*Pierre de rééquilibrage :* émeraude.
4. **ANATHA** (chakra cardiaque – Cœur)
Axe BÉLIER-BALANCE.
*Pierre de rééquilibrage :* rubis.
3. **MANIPURA** (chakra ombilical – Solaire)
Axe VIERGE-POISSONS.
*Pierre de rééquilibrage :* rubis.
2. **SVADHISTHANA** (chakra sexuel – Sacré)
Axe CANCER-CAPRICORNE.
*Pierre de rééquilibrage :* topaze.
1. **MULADHARA** (chakra coccygien – Racine)
Axe TAUREAU (kundalini)- Scorpion.
*Pierre de rééquilibrage :* améthyste.

l'énergie. Se nourrir, comment se nourrir, quel type de nutrition adopter… ce sujet pose bien des interrogations à des niveaux très vastes. Le yogi fera particulièrement attention au type d'aliments qu'il donne à son corps physique en veillant principalement à ce que celui-ci ne prenne le pas sur le corps psychique, et encore moins sur l'âme dont l'air constitue la seule véritable nourriture.

Le corps physique – ou corps de nourriture – renvoie à une dimension assez terrestre de l'existence et désigne une nouvelle fois les liens charnels analogiques à l'enfance. **La nutrition est évidemment liée à l'affectivité et au degré d'autonomie de chacun.** Cette notion demeure centrale dans l'axe Cancer-Capricorne. On rappellera la description de l'alimentation idéale selon le hatha-yoga Prapidika relative à ce chakra : « *La nourriture onctueuse et savoureuse qui laisse un quart de l'estomac vide et qui est mangée pour la délectation de Shiva, voilà ce que l'on appelle une alimentation mesurée.* » Mais ce sont là paroles inaudibles pour les Cancers et les Capricornes, du moins avant qu'ils aient effectué un vrai travail de réflexion et de prise de conscience… toujours long d'ailleurs dans l'axe. Le facteur temps est aussi important pour le *Svadhisthana* que le facteur rétention.

Néanmoins, la **couleur orangée** (rouge cinabre, comme dit la tradition indienne, venant du mélange des deux éléments alchimiques majeurs : mercure et soufre) témoigne, par rapport au rouge profond du *Mulhadhara chakra* précédent, de **l'émergence d'une lueur minuscule,** première tentative d'éveil de l'énergie psychique en lutte contre l'obscurcissement de la matière, dans le but de la maturation et de la régénération de l'être. *Svadhisthana* est ainsi le chakra de l'assimilation de l'énergie, de la transformation de nos tendances primordiales et de notre mémoire archaïque la plus opaque. Il est la zone dans laquelle on commence à prendre forme et à acquérir une identité. Il s'agit, pour le yogi, de **se concentrer sur le dépassement de la mémoire ancestrale et de l'ego primitif** afin de déchirer – un petit bout – le voile de l'ignorance et des habitudes qui l'étreint comme une coquille de protection encore perçue, à ce stade peu avancé, comme salvatrice. *« Demeurer ou devenir ? »,* telle est la question qui se pose ici, sans merci.

### b) L'énergie colorée : Orange = amour et sagesse

Attention, il ne s'agit pas de lire amour + sagesse, mais plutôt toute une série de possibles combinaisons entre l'amour et la sagesse : amour *contre* sagesse, amour *ou* sagesse, amour *malgré* sagesse, amour *plus* ou *moins* que sagesse… et même amour de la sagesse qui se dit en grec *philo* (amour) et *sophia* (sagesse). Toute l'ambiguïté et la dialectique qui existent entre ces deux notions, en plus de fonder l'humain, entraînent bien des réflexions qui ne peuvent se résoudre effectivement que par l'exercice savant de la philosophie…

Toute cette introduction, bien savante elle aussi, met l'accent sur le cœur des préoccupations de ce second rayon de lumière orange. L'émergence de la lueur évoquée dans le chakra indien se rapporte à cette même nécessité de **dompter émotions, passions, désirs, envies diverses par une vision sage et consciente,** dédramatisée et dépassionnée des choses.

Cette nécessité de domptage peut vite devenir un « tic », une déformation quasi obsessionnelle, car c'est bien la **crainte** et l'**attachement** – au lieu de la passion et de la pugnacité – qui sont inhérentes au second rayon. Tenaces dans leurs attachements et sincèrement

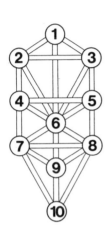

Les Hébreux – comme les Chinois et les Indiens – ont conceptualisé les interrelations énergétiques entre l'homme et le cosmos. Ici, on trouve une mise en correspondance entre l'Arbre des Séphiroth de la tradition juive et les planètes :

1. **Kether,** la Couronne = *Primum Mobile* – Uranus.

2. **Binah,** l'Intelligence = Saturne.

3. **Hochmach,** la Sagesse = Neptune.

4. **Din,** la Justice = Mars.

5. **Hesed,** la Miséricorde = Jupiter.

6. **Tipheret,** la Beauté = le Soleil.

7. **Hod,** la Gloire = Mercure.

8. **Netzah,** la Victoire = Vénus.

9. **Yesod,** le Fondement = la Lune.

10. **Malkuth,** le Royaume = Pluton.

aimantes, les personnes relevant du second rayon lumineux l'exprimeront naturellement en **servant les êtres aimés** et en s'engageant dans une affection exclusive et sélectionnée. Elles doivent, en conséquence, **se galvaniser pour agir,** bouger et prendre toutes les mesures nécessaires à cette mise en branle vitale. Le retard et le rallongement des délais est leur risque, mais leur atout est incontestablement dans le sérieux et le fini de leurs activités. La peur représente un danger permanent, et c'est contre elle que les personnes du deuxième rayon doivent constamment lutter avec une **persévérance** identique à celle qu'elles démontrent dans d'autres domaines. Le **discernement** et la **discrimination** doivent aussi attirer toute leur attention car, sans discernement, la personne du deuxième rayon est vite dépassée par l'ampleur de son « inclusivité ».

**L'amour reste le principal moteur** de ce rayon, mais sa recherche de sagesse le dote d'une possibilité de compréhension perceptive et d'une habileté à voir au-delà de la surface pour appréhender la nature subtile des êtres et des choses. Il est ainsi le rayon de l'**Amour intuitif** et donne le pouvoir – positif ou envahissant tout en même temps – de s'identifier aux autres et de les sentir de l'intérieur, ce qui renvoie à la force d'empathie typique du Cancer. C'est bien là **la magie transfigurative de l'Amour :** *« Entre dans le cœur de ton frère et vois sa peine. Tes paroles lui donneront la force pour détacher ses chaînes, mais ne les détache pas toi-même. Ta tâche est de parler avec compréhension jusqu'à ce qu'il dise lui-même : "Il aime, Il se tient à mes côtés, Il sait. Il pense avec moi et j'ai la force de faire le bien"* (2)... »

### c) Le méridien chinois : Rate-Pancréas = yin noir

On ne s'étonnera pas de trouver douze méridiens attribués chacun à un signe dans l'ensemble des douze ouvrages qui constituent la présente étude – qui se veut la plus exhaustive possible – des signes zodiacaux, de leur symbolique et de leurs correspondances énergétiques. On considère d'ordinaire huit trigrammes, représentant huit commandes de fonction. Or, il y a douze corps éthériques de méridiens, qui ne peuvent se voir que si on n'occulte pas l'existence de quatre figures à deux traits qui correspondent non pas aux planètes, mais aux **luminaires** que sont le Soleil et la Lune. Les deux traits yin correspondent à la Lune et à la commande de fonction Maître du cœur dans le signe du Cancer. Les deux traits yang correspondent au Soleil et à la commande de fonction Triple réchauf-

---

2. Voir, de Michal J. Eastcot : *Les Sept Energies cosmiques dans l'homme* (Le Hiérarch).

feur dans le Lion. C'est en rétablissant ces deux luminaires que l'on parvient à établir une correspondance
logique entre le système des Cinq éléments chinois et
le système des six axes de l'astrologie occidentale.
C'est Marguerite de Surany qui, grâce à sa connaissance de l'énergétique chinoise, a rétabli cette corréla-
tion (3).

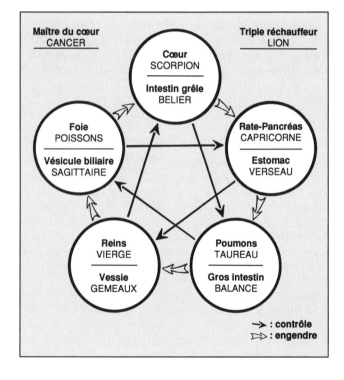

---

3. Voir, de Marguerite de Surany : *L'Astrologie médicale
Orient/Occident* (Le Rocher, épuisé).

**Correspondances énergétiques entre méridiens d'acupuncture chinois et signes astrologiques :** saisons, éléments, énergies, organes et viscères, heures de recharge énergétique, couleurs *(cf. dessin ci-contre)*.

**Bélier :** méridien *Intestin grêle* – Eté, Feu, chaleur – Langue, cœur, vaisseaux – 13 à 15 heures – Onde rouge.

**Taureau :** méridien *Poumons* – Automne, Métal, sécheresse – Poumons, poils, peau, nez – 3 à 5 heures – Onde vert émeraude.

**Gémeaux :** méridien *Vessie* – Hiver, Eau, froid – Cheveux, oreilles, os, reins – 15 à 17 heures – Onde ocre.

**Cancer :** méridien *Maître du cœur* – 19 à 21 heures – Onde bleu des mers du Sud.

**Lion :** méridien *Triple réchauffeur* – 21 à 23 heures – Onde or.

**Vierge :** méridien *Reins* – Hiver, Eau, froid – Cheveux, oreilles, os, reins – 17 à 19 heures – Onde vert foncé.

**Balance :** méridien *Gros intestin* – Automne, Métal, sécheresse – Poumons, poils, peau, nez – 5 à 7 heures – Onde rose.

**Scorpion :** méridien *Cœur* – Eté, Feu, chaleur – Langue, cœur, vaisseaux – 11 à 13 heures – Onde rouge grenat.

**Sagittaire :** méridien *Vésicule biliaire* – Printemps, Bois, vent – Foie, œil, muscles – 23 heures à 1 heure – Onde améthyste.

**Capricorne :** méridien *Rate-Pancréas* – Fin d'été, Terre, humidité – Bouche, tissu conjonctif, estomac – 9 à 11 heures – Onde noire.

**Verseau :** méridien *Estomac* – Fin d'été, Terre, humidité – Bouche, tissu conjonctif, estomac – 7 à 9 heures – Onde gris irisé.

**Poissons :** méridien *Foie* – Printemps, Bois, vent – Foie, œil, muscles – 1 à 3 heures – Onde bleu foncé.

Appelé « Ministre qui montre les fautes et parle d'équité », il se recharge dans les allées d'ondes noires **entre 9 heures et 11 heures du matin.**

C'est un méridien qui réagit **en fonction de la conscience et du sens moral** en réserve dans le for intérieur de chacun, s'exprimant de façon impitoyable et nécessitant un grand dépouillement interne. Il conserve l'énergie *Yong* qui abrite la pensée, l'intelligence, l'imagination et les idées. L'esprit de synthèse et la mémoire dépendent de la subtilité de ses ondes qui influencent plus globalement la capacité de cognition.

Méridien Rate-Pancréas – **Capricorne**          : Yang
                                                  : Yin

Le bigramme *Shao-Yang* (le yang naissant),
énergie de concentration, d'endurance et d'élévation.

Rate-Pancréas prend le **sang** et le rend purifié aux autres organes. Pour cela, il détruit les globules rouges usés et les remplace par de nouveaux, mais il aide aussi à la fabrication des globules blancs. Sachant qu'un globule reflète une pensée, le sang dévoile l'état de l'âme et de la pensée. Ce méridien influence donc les deux en jouant un rôle d'importance dans la digestion des idées et des aliments. Il devient alors beaucoup plus sévère et strict, coupe court aux erreurs et émet des jugements sans appel. **Il détruit l'inutile et pousse à se centrer sur l'essentiel.**

Sa bonne marche lui permet de bien boire et de bien manger, et son psychisme infatigable ne s'arrête jamais. On reconnaît bien là ses qualités d'endurance et d'architecte général de l'organisme, notamment par le rôle qu'il joue au niveau du souffle. Son ouverture vers l'extérieur est la bouche, son humeur la salive. Il

**réfléchit longtemps** avant de parler, et ses paroles une fois sorties de sa bouche se veulent avoir valeur de loi.

Musical, il est l'organe de l'entendement par excellence. La note *kong,* qui lui est analogique, est tonique et harmonieuse et il en a particulièrement besoin. Mais le *kong* ne peut s'entendre que dans la silence et la concentration de l'âme. L'attention de Rate-Pancréas gagne donc toujours à rester concentrée et à ne jamais s'égarer.

Il **nourrit les muscles et les membres** et joue un rôle énorme jusqu'à l'âge de 20 ans, ou jusqu'au terme de la croissance.

– *En bon état,* il donne le sens de la conscience morale, l'esprit de **synthèse,** la force de résoudre pragmatiquement les problèmes et celle de **supporter ce que l'on sait et ce que l'on entend...** ce qui est une sacrée responsabilité dont ce méridien sait finalement bien s'accommoder.

– *S'il est perturbé,* c'est qu'il n'a pas su **accorder ses pensées avec la réalité,** c'est qu'il n'a vu ni mesuré l'effet d'une faute et que sa conscience a été défaillante. L'obsession, les soucis, le pessimisme et la dépression l'engorgent et nouent l'énergie qui, au lieu de circuler, se bloque en autant de nœuds gordiens. Aller dans le sens contraire de sa conscience le rend carrément malade.

On signalera les possibilités de « criticisme », de méchanceté et d'agressivité gratuite qui peuvent se développer en cas de dysfonctionnement du méridien. Mais comme les choses les plus horribles ont leurs correspondances positives, il faut aussi dire que ce méridien est celui de la première marche vers la spiritualité. Il revêt une importance non négligeable sur le plan initiatique. Il est le « Logis d'I » – le Soleil – l'Esprit qui se lève...

## d) L'équilibre par les cristaux (4)

– *Couleurs associées :* noir et blanc.

– **Béryl :** pierre bien connue, depuis l'Antiquité, pour favoriser la méditation et la guérison, en particulier le *chrysobéryl* ambré et la *goshenite* incolore.

– **Jade :** d'après la Tradition, il éveille, équilibre, apaise la conscience, favorise le courage et le sens de la justice. Il est symbole de force et de longévité.

– **Onyx noir :** aide à conquérir sagesse et stabilité.

– *Pierre rééquilibrante :* **topaze,** pierre solaire qui active le rayonnement, la puissance et l'esprit de conviction. D'après la Tradition, soulage les maladies dues au froid, facilite l'assimilation de la nourriture et la circulation du sang.

## e) Vibrations du signe et prénoms associés

La vie est vibrations. Elle commence au-delà d'un seuil vibratoire au-dessous duquel la matière ne peut s'ordonner correctement en fonction d'une action précise. **Chaque prénom est porteur d'une vibration** calculable et transposable en couleur (les sons et les couleurs étant les vibrations les plus rapides de l'univers, donc celles qui nous arrivent et nous traversent de la manière la plus rapide). Même inconsciemment, nous y réagissons affectivement. Nous dirons donc que chaque prénom porte avec lui un message vibratoire qui nous le fait *percevoir au niveau affectif* sans que notre intellect n'y puisse rien, ce qui explique que certains prénoms nous soient si chers et d'autres si immédiatement déplaisants.

Aimer le prénom de l'être chéri revient donc à aimer l'effet transmis par la vibration émise et, à l'in-

---

4. Voir, de Barbara Walker : *Cristaux. Mythes et réalités* (Editions Dangles).

verse, pourrions-nous vraiment aimer une personne dont nous n'apprécions pas le prénom ? Cela explique aussi les inclinaisons que nous ressentons pour certains prénoms voulus pour nos enfants, ou choisis pour nous-mêmes lorsque nous nous sentons « *mal nommés* » à la naissance (5).

Nous comprenons ici que les prénoms véhiculent avec eux toute une série de qualités et de caractéristiques que l'astrologie a, par ailleurs, rangées en signes. D'après leur vitesse vibratoire et la couleur de leur vibration, voici les **prénoms qui véhiculent les caractéristiques du signe du Capricorne,** avec leurs effets sur nos trois plans d'existence : corps, âme et esprit.

⟨⟨◎⟩⟩

◇ **Prénoms émettant 72 000 vibrations/seconde :**
Abel, Amédée, Anthony, Antoine, Aristide, Céleste, Célestin, Fulbert, Oscar, Tino…
– *Couleur :* jaune.
– Type d'énergie produite : *corps :* volonté ; *âme :* rayonnement ; *esprit :* intelligence.

◇ **Prénoms émettant 85 000 vibrations/seconde :**
Amaury, Antonin, Armand, Bénédict, Blaise, Camille, Colin, Eusèbe, Ferdinand, Fulgence, Loup, Martin, Olivier…
– *Couleur :* jaune.
– Type d'énergie produite : *corps :* volonté ; *âme :* rayonnement ; *esprit :* intelligence.

Anthelme, Calliste, Gilles, Guillaume, Léger, Martian, Parfait, Prosper…

---

5. Voir, de Pierre Le Rouzic : *Un prénom pour la vie* (Albin Michel).

– *Couleur :* vert (2/10 bleu + 8/10 jaune).

– Type d'énergie produite : *corps :* mental ; *âme :* intuition ; *esprit :* imagination.

### ✧ Prénoms émettant 74 000 vibrations/seconde :

Elsa, Elsy, Françoise, Hilda, Jacquine, Mireille, Noélie, Noëlla, Noëlle, Soledad, Theodora, Vivette, Viviane…

– *Couleur :* rouge.

– Type d'énergie produite : *corps :* colère ; *âme :* passion ; *esprit :* domination.

### ✧ Prénoms émettant 78 000 vibrations/seconde :

Arnold, Arnoult, Clet, Enrique, Gonzague, Henri, Hercule, Lougin, Olaf, Olav, Stanislas, Symphorien, Tudi…

– *Couleur :* violet (1/10 bleu + 9/10 rouge).

– Type d'énergie produite : *corps :* subconscient ; *âme :* inconscient ; *esprit :* conscient.

### ✧ Prénoms émettant 60 000 vibrations/seconde :

Hugues, Noé, Soizic, Youri…

– *Couleur :* violet (6/10 bleu + 4/10 rouge).

– Type d'énergie produite : *corps :* subconscient ; *âme :* inconscient ; *esprit :* conscient.

### ✧ Prénoms émettant 92 000 vibrations/seconde :

Barnard, Eric, Erich, Erick, Gevy, Laudry, Robert, Romuald…

– *Couleur :* rouge.

– Type d'énergie produite : *corps :* colère ; *âme :* passion ; *esprit :* domination.

≈ ♓ ♈ ♉ ♊ ♋ ♌ ♍ ♎ ♏ ♐ ♑

## f) La glande-miroir : le pancréas

L'axe Cancer-Capricorne est entièrement soumis à la notion de croissance, et les glandes qui y sont respectivement analogiques en témoignent d'autant. Ainsi les glandes gonadiques du Cancer (6) étaient-elles directement en relation avec la notion de « semence du devenir » physiologique, qui a un équivalent direct dans la notion de « semence du devenir psychique » liée au pancréas. Ces deux fonctions ont évidemment à voir avec les âges de la vie et du devenir de l'humain qui s'y rapportent :

– le Cancer et les gonades renvoient directement à l'enfance ;

– le Capricorne et le pancréas renvoient plus immédiatement au stade plus élaboré de l'**adulte** et de ses nécessités de **croissance spirituelle.**

La fonction de nutrition – également mise en avant dans le cas des fonctions gonadiques – reste l'un des principaux aspects du processus de croissance. Dans son rapport avec le développement de l'être physiologique et psychique, la nutrition maintient et réapprovisionne ces schèmes complexes d'énergie qui caractérisent notre physiologie. Alors, les organes dont les fonctions affectent les schèmes de transformation d'énergie dans le corps ont forcément une énorme importance sur le comportement. Le pancréas, intimement lié au processus de nutrition, se définit comme un organe de ce type.

Comme les gonades, il a une double fonction *exocrine* et *endocrine* (7) :

---

6. Voir *le Cancer,* dans la même collection (Editions Dangles).
7. Voir, du docteur Oslow H. Wilson : *Les Glandes, miroir du Moi* (Editions Rosicruciennes).

Dans sa **fonction exocrine,** ses sécrétions créent l'environnement adéquat à la digestion de nourritures complexes. Les sucs pancréatiques servent à neutraliser l'acidité du chyme – nourriture partiellement digérée – lors de son parcours vers l'intestin grêle. Si le pancréas ne remplissait pas ce rôle, la très forte acidité du chyme détruirait le fragile tissu intérieur de l'intestin grêle. Le corps ne pourrait alors plus tirer sa nourriture des aliments.

Une profonde sagesse édicte que la nutrition devrait être un processus double de broyage et de reconstitution. Le *processus de broyage* comporte la réduction de la nourriture complexe en éléments plus simples. Le *processus de reconstitution* comprend le réassemblage des éléments de la nourriture simple en formes complexes emmagasinables. Par conséquent, la prodigieuse intelligence organique permet au corps de disposer d'entrepôts de réserves dans lesquels il peut puiser en cas d'urgence. Le plus grand dépôt du corps humain est le foie, organe majeur, producteur de chaleur, de glycogène et réserve d'énergie essentielle – en plus d'être fortement lié à l'émotivité et à l'activité spirituelle – sans lequel la vie disparaît et avec lequel le pancréas est directement lié.

Dans sa **fonction endocrine,** le pancréas est d'une importance cruciale pour l'harmonie et la survie du corps. Il est donc là aussi primordial, car il produit les deux hormones vitales que sont l'insuline et le glucagon. La liaison entre l'activité endocrine du pancréas et le développement du cerveau est très claire et très directe. L'insuline, principalement, influence directement et profondément le fonctionnement des structures qui nous permettent le mieux de réaliser notre Moi. Un Moi perturbé, ignoré ou comprimé – voire déprimé – demeure à la source et est la conséquence d'une perturbation pancréatique plus ou moins aggravée. Au pire, toutes les maladies pancréatiques – en plus d'être pratiquement incurables autant que foudroyantes dans leur rapidité d'évolution – découlent directement d'un profond déséquilibre entre la vie et le Moi profond.

∞

Qu'en retiendrons-nous donc sur le plan spirituel et mystique ?

Aux fonctions physiques des gonades correspondent les fonctions psychiques du pancréas. Les semences du devenir au niveau physique et sexuel trouvent leur équivalent dans les semences de notre devenir intérieur sous la forme de nos aspirations, de notre foi, de notre imaginaire, du vécu d'âme et du degré d'amour que nous nous sentons recevoir et donner. **La nourriture de l'âme qu'est l'amour a principalement à voir avec le rôle profond du pancréas.**

L'équilibre pancréatique implique en effet un juste processus psychique de synthèse en des schémas de réalité en harmonie avec la croissance et l'évolution de nos désirs et de nos aspirations les plus vastes et les plus essentielles.

En fait, tout comme la gestion des sucres et des acides gras par le pancréas est essentielle à la vie, la psyché doit recevoir un régime équilibré pour édifier le type de caractère que nous désirons développer. D'où la nécessité de ne pas se laisser aller à des activités mentales et spirituelles perturbantes, inadaptées ou affectivement douloureuses, lesquelles sont aussi fatales qu'un dérèglement du taux d'insuline. Ainsi, la croissance et l'évolution psychique de nos semences psychiques ne peuvent-elles se produire qu'en faisant appel aux matériaux que la personnalité a préalablement ingérés, digérés, affinés et stockés. Le pancréas a donc beaucoup à nous apprendre en ce qui concerne le stockage et la distribution judicieuse de l'énergie psychique coulant dans les canaux de nos pensées et de nos expériences.

## 4. Conséquences symptomatologiques

Autant le dire tout de suite, le Capricorne fait partie des signes à « petite santé », surtout dans son enfance où il est manifestement souffreteux, trop maigre ou trop gros, mais rarement dans la moyenne. Avec l'âge il s'équilibre. Cependant, sa résistance sur la longueur est souvent déconcertante et puis, entre son hypocondrie bien connue et la réalité, on ne sait jamais jusqu'à quel point il est vraiment malade... Enfin, détestant le sport et ayant plutôt tendance à s'économiser et à se soigner à l'excès, ses fragilités ne font qu'augmenter. Prudence, fixation, immobilisme et lenteur deviennent ainsi les mamelles de la santé du Capricorne et, sur le modèle mammaire, les effets en sont doubles :

– D'un côté, cette prudence attentive à son corps et à son équilibre diminue les risques d'accidents, de cassures, de conséquences physiques et psychiques violentes et inattendues. Les risques d'épuisement organique – avec les conséquences infectieuses qui en découlent – s'amoindrissent. **Le sommeil (leur remède clef)** constitue également une fameuse source de recharge et de rééquilibrage tant physique qu'émotif et psychique, même si les natifs tendent à en abuser au grand dam de leur entourage !...

– De l'autre, l'inertie et l'économie énergétique **provoquent des surcharges** de tout ordre (en particulier pondérales et rénales), ainsi que des **congestions** diverses (notamment circulatoires et respiratoires). Faire attention à soi et se pelotonner constituent donc une philosophie de vie ambiguë qui, à l'excès, peut devenir un vrai frein à la vie elle-même. Sur ce plan comme sur d'autres, il est bien difficile de « bouger » l'été, cet état d'apesanteur torride où toute activité est suspendue et ou, véritablement, le temps marque une pause. Le Capricorne doit lutter contre lui-même pour ne pas étirer cette période à l'infini, sous peine de troubles aggravés que l'hiver lui rappelle sans tarder...

## a) Points faibles du Capricorne

– **Circulation sanguine :** elle représente le principal point faible du signe et s'explique par une paresse générale du fonctionnement cardiaque que sa haine de l'effort et du sport ne vient pas réactiver. Les faiblesses respiratoires typiques du signe ne favorisant pas non plus l'oxygénation du sang, le terrain est propice à l'irrégularité circulatoire, aux maladies cardio-vasculaires et à leurs conséquences sous forme de congestions tissulaires et veineuses diverses : varices, veinosités, jambes gonflées et lourdes, vaisseaux fragiles, couperose...

– **Faiblesse respiratoire :** traditionnellement, le signe montre un squelette fort, une cage thoracique rigide mais trop fine et peu développée. La physionomie typique donne des individus à la partie stomacale large et prépondérante, avec des épaules et un thorax rétrécis (le rétrécissement de la cage thoracique s'accentue avec l'âge), d'autant que le **faible tonus musculaire général** n'est pas propice à développer les pectoraux. **Les poumons et leur fonction sont généralement en insuffisance,** rappelant sa fragilité affective et sa prédilection pour l'eau (que l'organisme retient d'ailleurs à l'excès). Depuis l'enfance, le Capricorne accuse de sérieuses fragilités pulmonaires et respiratoires que l'atonie cardiaque n'améliore pas :

bronchites, asthme, coqueluche, pneumonie, pleurésie, broncho-pneumonie… ainsi que les troubles O.R.L. qui en découlent.

– **Insuffisance rénale :** cela renvoie à l'eau et à sa gestion (problématique) par la structure organique capricornienne. **Les natifs ont besoin d'eau** et boivent souvent plus qu'ils ne mangent. Quoi que… sur ce point c'est tout ou rien : soit ils n'avalent pas une goutte et arrivent péniblement à ingurgiter un quart de litre de liquide par jour, soit ils boivent sans cesse jusqu'à s'en sentir ballonnés. Dans tous les cas, leurs tissus sont généralement adipeux, surtout chez les femmes chez lesquelles les sécrétions hormonales gonadiques sont abondantes et prédisposent à l'excès. Les périodes de la puberté et de la ménopause sont d'ailleurs toujours à surveiller, plus que chez d'autres signes encore. Le fonctionnement rénal est pointé à travers tous ses troubles : au lieu de faire son tri et de favoriser l'élimination, c'est plutôt un état d'engorgement et de surcharge qui s'installe chroniquement si l'on n'y prend garde. Attention alors aux néphrites aiguës ou chroniques, uricémie, goutte, athéromatose, diabète… vite advenus.

– **Problèmes gastro-entérologiques :** avec les problèmes circulatoires, ces fragilités gastriques sont typiques du Capricorne et des personnes marquées par l'image maternelle en général. L'impact psychologique et les « maux à la mère » y sont très directement lisibles. On ne répétera jamais assez le rôle compensatoire et ambigu de l'alimentation dans la vie capricornienne, surtout sa prédilection pour les laitages et le sucre. Au contraire, on trouvera ceux qui se privent, se « punissent » et n'avalent plus rien, et tous ces désordres – ajoutés à la **lenteur digestive générale** – peuvent entraîner des **variations de poids**

**incessantes,** de l'obésité chronique ou de la maigreur incurable, trop de cholestérol, du diabète, des gastrites, de l'aérophagie, de la spasmophilie, de la constipation, des colites, et dériver – au pire – en problèmes hépatiques.

– **Problèmes de peau :** la peau représente un terrain idéal pour l'expression à la fois de l'hypersensibilité affective et de la tension nerveuse chronique. Elle pose toujours des problèmes graisseux, gratte, gonfle, pique, blanchit en hiver pour rougir en été et n'a plus aucune souplesse. De plus, les Capricornes présentent un terrain nettement allergique ainsi qu'un terrain idéal pour l'acné, même au-delà de l'adolescence.

– **Système endocrinien** en général, surtout de la thyroïde et du pancréas, surtout chez les femmes dont l'équilibre hormonal est à surveiller.

– **Os et phanères :** liés à la mauvaise fixation de calcium/phosphore/manganèse qui le caractérise généralement, on retrouve communément des problèmes de cheveux trop fins et cassants, d'ongles qui « blanchissent », de dents aux mille problèmes répétés. On sera vigilant quant à la constitution osseuse et à la bonne formation de son squelette (fragilisé). Les activités violentes que le natif affectionne exposent, de plus, à des risques de fractures plus ou moins graves et plus ou moins répétées. Les traditionnels et douloureux problèmes de genoux et de sciatique sont à rappeler.

En général, le Capricorne se met à aller mieux avec le temps et **sa vieillesse est souvent bien meilleure que son enfance,** et surtout que les périodes charnières de 7-8 ans et de l'adolescence. On n'oubliera pas d'ajouter à ce panorama les problèmes du Cancer qui accentue les fragilités pulmonaires, gastro-entéro-logiques et psychiques.

D'autre part, on considérera les Capricornes en **excès d'énergie** dont la permanente dépression morale accentue les soucis, les peurs, les crises, les rend tristes, découragés, agressifs et pessimistes à déstabiliser un papillon !... Les pertes de mémoire, les soupirs, l'engourdissement, voire la neurasthénie chronique font partie de ce drôle de tableau.

Au contraire, les Capricornes en **insuffisance d'énergie** sont paresseux, languissants, distraits, manquent d'entrain et de désir franc ; leur conscience, leur morale et leur énergie sont bien faibles...

N'oublions jamais pourtant que, suivant les cas et les périodes, on peut passer d'un état d'excès à un état d'insuffisance.

### b) Conseils pour un meilleur équilibre

Le mot clé de la santé Capricorne : **réchauffer.** De la chaleur sur tous les plans... Du soleil à l'extérieur et de l'amour de soi et d'autrui à l'intérieur. Ce sont les remèdes les plus puissants que l'on puisse jamais lui prescrire.

Les natifs ont vraiment du mal à faire attention à eux-mêmes et à ne pas réagir à tout par le mépris ou la dureté, du fait de toujours **se haranguer** pour tenir le coup et ne rien laisser paraître. A ce régime stakhano-viste, le corps finit par s'user et les conséquences deviennent d'autant plus difficiles à soigner à terme.

L'**équilibre affectif** est essentiel, et toutes ses maladies en témoignent. Et comme il faut toujours beaucoup de temps au Capricorne pour extérioriser ses troubles, on ne s'étonnera pas qu'un événement affectif produise des effets physiologiques aggravés des années plus tard.

Chaleur donc, quiétude et tranquillité au lieu de dureté et mépris de soi, c'est tout... et c'est déjà beaucoup pour les natifs empêtrés dans leurs blessures aphones et leur pudeur qu'ils ne savent généralement exprimer que dans des crises tyranniques.

*N.B. :* nous ne pouvons donner, ici, que des conseils généraux, difficiles à individualiser avec plus de précision tant que l'on s'en tient au seul signe solaire. Seule une consultation astrologique globale, **tenant compte du thème complet,** peut apporter plus de précision sur les dynamiques de fonctionnement particulières, sur les circulations énergétiques – équilibrées ou perturbées – de chacun.

D'autre part, un traitement personnalisé requiert la compétence et la prescription d'un médecin – généraliste, spécialiste ou pratiquant les médecines douces – qui tienne compte d'une juste combinaison de la médecine allopathique, des médecines alternatives et des thérapies énergétiques. L'astrologie représente un outil complémentaire d'étude d'un terrain, *pour confirmer ou infirmer un diagnostic,* mais elle ne peut en aucun cas se substituer au thérapeute compétent. En ce sens, nous vous laissons bien entendu le libre choix de votre médecin qui, seul, pourra vous orienter vers des traitements et des soins adaptés.

**Saturne,** sixième planète du système solaire, dont la particularité est son impressionnant système d'anneaux. Planète géante de 119 700 km², accompagnée de plus de vingt satellites.

(© N.A.S.A / photo Ciel et espace, Paris.)

# V

# Amours et amitiés

## 1. Retenue, pudeur et authenticité

Quel que soit le domaine que l'on aborde, la caractéristique du Capricorne revient à l'honneur : il est **sincère, fort, authentique** et tout particulièrement porté aux **relations** comme aux actes francs et positifs. Sur le plan du cœur et des amours, ces caractéristiques sont encore plus exacerbées et importantes.

Aux prises avec les choses sentimentales, les natifs pensent uniformément qu'il est de toute façon « urgent d'attendre », de freiner et de retarder le développement des choses. La défiance est leur règle première, et ils n'iront pas s'engager à la légère pas plus qu'ils ne reviendront sur leurs engagements. Finalement, la retenue allant avec la sincérité, on peut se reposer sur leurs sentiments, mais **après avoir triomphé de leur réserve.**

Au début, Monsieur comme Madame Capricorne semble de rien voir, rien entendre, rien considérer. A celui qui veut se rapprocher, il faut du talent, du courage, de l'optimisme et de la volonté pour deux. On n'imagine pas qu'Humphrey Bogart ou Ava Gardner aient jamais été faciles à conquérir. Mais quelle crème, quelle authenticité et quelle incandescence... une fois passé de l'autre côté des froides apparences !

Ils n'ont pas de réserves pour revenir en arrière ni guérir de blessures trop profondes ; voilà l'explication simple d'une telle attitude réfrigérante qui n'est qu'autoprotectrice et **défensive** plutôt que délibérément destinée à être désagréable et offensive. J'oserais dire que le mieux qu'il puisse encore leur arriver est que, voyant leur aimé(e) se lasser, ils se réveillent d'un coup et osent changer d'attitude en s'ouvrant enfin sur autrui. Mais c'est aussi tellement agréable de faire attendre, patienter et retarder, lorsqu'on sait que le plaisir sera si fort plus tard !

Car leur deuxième caractéristique – sinon franchement la première et la principale – reste **leur incandescence.** Les Capricornes ont la solide réputation d'être des sensuels endurants, gourmands que l'on recommanderait avec assurance à ses amis. Du coup, on peut regretter qu'ils ne se décident pas plus vite… ou plutôt en être contents et rassurés. Ils ne sont certainement pas des beaux feux de paille tels que les Béliers et les êtres de Feu, mais leur ténacité et leur flamme intérieure font la différence sur la longueur.

Pourquoi, alors, se méfient-ils tant et mettent-ils tellement de temps à s'ouvrir et à partager les délices dont ils ont le secret ? La vie ne les a généralement pas réconciliés avec l'amour et ne leur a pas appris à vivre ces choses-là avec légèreté et nonchalance. Comme le reste, l'amour et l'amitié sont des choses graves, profondes et sérieuses qu'il faut traiter sérieusement en évitant la désinvolture. On pourrait en mourir dans le plus pur style romantique… c'est dire si c'est important ! Et puis, la dimension du deuil et de la douleur est telle que le regret intense n'est jamais très loin. Il ne s'agit pas de s'emballer mais, au contraire, de tergiverser le plus longtemps possible. Sans compter que la mort a souvent frappé le cœur des

Quand désir rime avec retenue…
*Le Cavalier et la Dame* d'Albrecht Dürer.

(Bibliothèque nationale, Paris.)

natifs de très près et que la trace qui en reste est des plus vives. La tendresse et le besoin de chaleur en restent vifs, mais la douleur laminante encore plus : « *Le cœur plein d'un seul regret, poignant et bref, comme un unique fret, charge une nef... »,* écrivait Charles Péguy fort à propos.

Du coup, pour se rassurer et donner le meilleur d'eux-mêmes, ils optent plus volontiers pour la relation sérieuse, longue, qui se développera selon plusieurs phases et portera des fruits divers. Ils considèrent plus facilement leurs compagnons comme des partenaires – voire des adversaires – que comme des amis. Sensuels et torrides on l'a vu, ils n'en recherchent pas moins surtout des êtres intelligents, cultivés, raffinés et conscients, avec qui ils puissent discuter et marcher main dans la main, dans la confiance et le partage ; ils détestent les relations d'un soir, les personnes superficielles et inconséquentes avec lesquelles ils se sentent toujours encore plus vieux et plus lourds.

Les rassurer, les réconforter, les conseiller, les seconder, les dérider et les entourer, s'occuper d'eux qui clament partout qu'ils n'ont besoin de personne et qu'ils ne sont bien que tout seuls… voilà comment on les aide à devenir les compagnons les plus agréables et les plus passionnants à vivre. Au fond, évitez de les prendre vraiment trop au sérieux, et ne vous laissez pas vous-même piéger par leur froideur apparente !

## 2. Les relations avec les autres signes

### Capricorne/Bélier

Comment dire pour faire comprendre à quel point ils n'ont rien de commun et se regardent en parfaits chiens de faïence ? Le Bélier voudrait attaquer le Capricorne de front pour l'obliger à craquer et lui prouver que le désir ne vaut rien à être retenu (le pauvre, qui n'a jamais peur de l'inutile !). Le Capricorne voudrait bien faire admettre au Bélier que la lenteur, la réflexion et la persévérance ont du bon et que le désir vaut surtout s'il est canalisé (le pauvre, qui n'a pas peur de prêcher dans le désert !).

Au fond, ils peuvent faire d'excellents partenaires en conseil d'entreprise, mais de là à communiquer au quotidien… Finalement, c'est une relation qui a besoin de mûrir car, avec l'âge et le recul, elle peut devenir intéressante et complémentaire à divers niveaux, une fois les excès de la jeunesse dépassés.

### Capricorne/Taureau

S'ils écoutent leur logique, leur raison et leur vision concrète du monde, ils se reçoivent 5 sur 5. Ensemble, ils peuvent surtout construire et parier sur la durée. Ces deux bêtes de travail ont vraiment tous les atouts pour réaliser et se réaliser dans leurs dé-marches communes. En cela, ils sont de fiables parte-naires et se respectent en adultes sages. Le plan sen-suel est aussi leur meilleur atout, même s'ils n'en font pas étalage : le Taureau joue vraiment un rôle de révé-lateur sur le Capricorne et est un des seuls à pouvoir le rassurer en l'autorisant à exprimer ses envies et en l'encourageant à les vivre dans le plaisir et la quiétude. Le Capricorne en est tout « liquéfié », et cela lui ouvre les horizons du cœur et du corps, en plus de ceux de la conscience et de l'ascétisme.

Le plan sentimental reste cependant plus difficile, car le Taureau se sent toujours frustré et « réfrigéré », rappelé à l'ordre et interdit dans l'expression nécessaire de ses sentiments, surtout si la femme est Taureau. Ils doivent parier sur le long terme car, vivant leur union à un âge plus mûr, ils se comprennent mieux et s'acceptent enfin. Entiers et sincères, ils se retrouvent souvent pour s'apercevoir qu'ils s'aimaient en profondeur…

### Capricorne/Gémeaux

Chacun a exactement TOUT ce que l'autre n'a pas. Voilà une bonne raison d'être complémentaires ou incompatibles, au choix et selon les moments, les périodes, les domaines et le niveau de conscience de chacun. Au mieux le Gémeaux allège et le Capricorne solidifie ; le Gémeaux discutaille, le Capricorne tranche et décide.

Mais les mêmes choses peuvent aussi se dire autrement : le Gémeaux louvoie et le Capricorne s'effondre ; le Capricorne impose et le Gémeaux étouffe. Au mieux, leur humour respectif les sauve. Au pire… le Capricorne reste tout seul.

### Capricorne/Cancer

Chacun est pour l'autre un miroir et lui permet de mieux se regarder en face. Cela provoque le meilleur – ou le pire – des agacements. La complémentarité devrait pourtant l'emporter, à condition que le Cancer suive. Il s'agit d'en profiter tant qu'il est encore temps.

Le Capricorne est touché par la grâce et les mamours cancériens, le Cancer adore la sincérité et la fiabilité sentimentales du Capricorne. Leurs amis, leur famille, leurs patrons, leurs enfants… se sentent en terrain stable. Mais eux, de temps en temps, s'ennuient car personne ne sait vraiment faire évoluer l'autre.

### Capricorne/Lion

C'est l'alliance de l'endurance et de l'explosivité. Le Lion s'élance vers de grands exploits. Le Capricorne les accueille avec reconnaissance mais, fondamentalement, ils ne vivent pas pour la même chose.

Le Capricorne s'irrite de l'image étalée du Lion qui trouve, de son côté, que la morale et les restrictions ne lui conviennent vraiment pas. Quand le sommier a fini de trembler, ils n'ont plus rien à se dire… sauf s'ils sont très philosophes.

### Capricorne/Vierge

S'ils partagent leurs sous et s'y tiennent, ça va… quelque temps. S'ils partagent leurs frustrations, leur moralisme et leurs pudeurs, c'est l'ère glaciaire. Car les plaisirs terrestres et amoureux qu'ils devraient pouvoir partager sont rendus impossibles par les impossibilités et les rétentions réciproques.

Au mieux, ils se comprennent sur le quotidien et sans parler. L'émotion les submerge et les rapproche. Entre les deux versants, il existe donc l'espace tendre d'une amitié amoureuse, tranquille, paisible, durable.

### Capricorne/Balance

Le hasard fait bien les choses. L'affection et la galanterie innées de la Balance font du bien au Capricorne sévère et frustré. Malheureusement, la réserve du Capricorne rend insupportables les doutes de la Balance.

Donc, par hasard et pas trop longtemps, car ils partagent surtout la mélancolie…

## Capricorne/Scorpion

Dur dur non ? Tous deux perdus dans leurs doutes, emmurés dans leur émotivité aphone et secrète, engloutis dans leurs invisibles profondeurs et leurs recherches mystiques, rigidifiés par leurs exigences et leur sévérité… comment donc se rejoignent-ils ? Par l'authenticité, le travail titanesque et opiniâtre, le sérieux et la sensibilité de fond.

Et surtout, de façon inattendue, lorsque mis à l'horizontale, ils découvrent d'un coup les délices de leurs sensualités respectives… C'est une relation qui est philosophique et sensuelle, ou qui n'est pas.

## Capricorne/Sagittaire

Le Capricorne fait énormément de bien au Sagittaire, car il le canalise et l'aide à affiner ses tumultes extérieurs comme intérieurs. Il lui apporte mesure et persévérance. Le Sagittaire fait énormément de bien au Capricorne en lui procurant optimisme, audace, positivisme et chaleur. Le Capricorne empêche le Sagittaire de s'enfuir pour des prunes et le Sagittaire empêche le Capricorne de se prendre pour Dieu. Pas mal.

Puis, quand même, le Capricorne ne suit pas le rythme du Sagittaire, et celui-ci voit toujours plus loin et plus haut que la montagne du premier. Et comme tous les deux revendiquent le pouvoir…

## Capricorne/Capricorne

Belle amitié rassurante et réconfortante, réussite sociale, financière et intellectuelle durable et solide, mais des relations intimes pas toujours simples et évi-

dentes. Les draps s'alourdissent au gré des malenten-
dus et les réserves deviennent de plus en plus pesantes.

A la longue, à moins de faire le point fréquemment
pour remettre les choses en place, risques de sérieux
embourbements.

### Capricorne/Verseau

Cela peut être constructif, productif et joyeux, à
condition que le Capricorne dépasse son incapacité à
se lier corps et âme (corps surtout) et que le Verseau
ne soit pas offusqué par les limites et les restrictions
permanentes de ce ténébreux personnage.

Une belle aventure humanitaire et culturelle les
attend, parfois à long terme.

### Capricorne/Poissons

Ils s'attendaient. Ils sont faits pour s'entendre avec
l'âme en plus. En fait, c'est surtout l'homme Poissons
qui sera le mieux avec la femme Capricorne. Le Poissons sait faire rêver, sourire, se détendre et se laisser
aller – un miracle – le Capricorne frustré et méfiant.

C'est que ce petit Poissons semble tellement inca-
pable de lui faire le moindre mal et puis… comme il
ne fait que ce qui lui plaît, les choses pourraient devenir dures. Pourtant, la complémentarité est grande.

♑ CAPRICORN.

Le Capricorne, extrait d'un manuel
d'astrologie du XIXᵉ siècle.
(*The Astrologer of the Nineteenth Century,*
Royal Astrological Academy, Londres.)

*La Dame à la licorne :* chasteté, sagesse et abondance…
(Tapisserie du musée de Cluny, Paris.)

# VI

# Vie professionnelle et sociale

## 1. La vie est une entreprise...

Ce domaine est l'un des principaux – sinon le principal – domaines des natifs. On a vu qu'**ils aiment construire et se construire,** et qu'ils sont ce qu'ils deviennent. Le sérieux, la persévérance, la lucidité et la conscience, le goût du travail (sinon l'acharnement à le faire) et du pouvoir, l'envie de réussir et d'être socialement installé – jusqu'au mirage – constituent de puissants moteurs et permettent aux natifs de diriger et d'orienter clairement leur vie.

Alors, s'ils ont vraiment tous les **atouts de la réussite** franche – qu'ils mènent à long terme et qu'ils savent développer avec le temps – ils tombent dans l'excès et peuvent, en plus, être des bourreaux de travail, se montrer tyranniques, possessifs, acariâtres, jamais contents, inquiets jusqu'à la maniaquerie et délibérément près de leurs sous.

Ils aiment bien l'ambiance des entreprises familiales car leur timidité et leur méfiance les poussent dans ce sens. Ils conçoivent le travail d'équipe mais s'y situent de toute façon, sinon en tête, tout au moins à un haut niveau de responsabilité. Evidemment, c'est le genre de choses qu'ils savent plutôt bien assumer, et ils se retrouvent, du coup, corvéables à merci....

Comme ils projettent leur émotivité dans le domaine professionnel et compensent leur vide affectif généralement grand, ce sont eux que l'on retrouve au bureau à Noël, à Pâques et le dernier soir à minuit, avant de partir en vacances – un jour et demi maximum, et encore en téléphonant au travail toutes les demi-heures ! – parce qu'on les y a forcés. Ils feraient bien de **décompresser** et de **relativiser les choses,** d'apprendre à vivre tout simplement, sans que le fait même de vivre soit un challenge et que leur vie fonctionne comme une entreprise. Sinon, on les retrouve à la retraite, grincheux et ayant toujours besoin d'affirmer une autorité qui ne peut plus s'exercer que sur le chien, le voisin ou le conjoint…

D'autant, qu'en plus, ils n'ont pas une relation simple avec le fruit du labeur et préfèrent bizarrement le travail… à ses fruits ! Une sorte de **culpabilité de la possession** fait que plus ils travaillent et plus ils se punissent de pas le faire assez, plus ils ont d'argent plus ils vont l'utiliser de façon biscornue, faisant une énorme folie puis se privant de choses élémentaires pour économiser des bouts de chandelles…

C'est l'affectif, évidemment, qui est derrière tout cela. Mal équilibré et mal canalisé, il devient un frein, un boulet, une chose dure à gérer et qui trouve dans le domaine socioprofessionnel le terrain d'expression et d'amplification idéal. Ainsi leur réussite vient-elle avec le temps, grâce à leurs qualités **synthétiques,** leur puissance d'**approfondissement, l'intuition de l'essentiel et du juste,** leur capacité à poursuivre des objectifs fixes, leur **concentration** (monomaniaque) et leur savoir propre à éliminer les obstacles.

L'échec – quand il advient – est dû à leur promptitude à renoncer, à leur **pessimisme,** à leur insensibilité relationnelle affichée, à leur **méfiance** et à leur **len-**

*L'étude et la vigilance,* qualités de réussite sociale.
Toile de Rémy, école française du XVIIᵉ siècle.
(Musée des Beaux-Arts, Orléans.)

**teur** maladives, à leur excès de rigueur tyrannique et inconfortable.

Ils sont efficaces et sûrs, mais vraiment pas commodes. Il faut s'adapter à eux en somme, dans le boulot comme dans le reste…

## 2. Les métiers du Capricorne

Le signe est en analogie avec quelques grandes options :

– **La terre :** jardinage, bois, prés, travaux agricoles ou de transformation artistique à partir de cette matière première (botanique, horticulture, agronomie, génie rural, qualité de la vie, naturopathie, médecines douces…). Tous les métiers liés aux pâturages, aux traitements animaliers et à leur transformation. Les vins, vignobles, les métiers en rapport avec le monde viticole, à tous les niveaux.

– **L'immobilier :** entreprises de construction, investissement immobilier, la pierre, promoteurs, agences, courtiers, syndics…

– **Le bâtiment :** génie civil, barrages, ingénieurs des Ponts et chaussées, des travaux publics, bâtisseurs, architectes, maçons, carreleurs… mais aussi la décoration, le design, la création d'intérieurs…

– **L'argent :** banques, Bourse, conseils en placements et en gestion, métiers du Trésor, des impôts, du budget, Inspections des finances. L'économie politique, les organismes internationaux à vocation financière…

– **Monde politique :** beaucoup de natifs dans les sphères politiques (nationales ou internationales), dans la diplomatie et les grandes organisations culturelles ou humanitaires… ils y excellent incontestablement.

– **L'éducation :** philosophes, professeurs d'université, mythologues, astrologues, historiens, éducateurs, conférenciers, séminaristes, etc. Ils ont une haute notion de ce que leur sens de l'éducation et de la transmission peut produire sur le monde, et sur les jeunes en particulier. Ils ont des idées pédagogiques précises qu'ils appliquent chez eux comme dans leurs activités professionnelles.

– **Mysticisme et religion :** à propos d'« ailleurs », il n'est pas du tout exclu qu'ils plongent pour le grand Ailleurs et s'engagent carrément dans le mysticisme, la religion, fassent une retraite momentanée (ou définitive) dans de hauts lieux, chargés et sacrés.

# VII

# L'enfant Capricorne

## 1. Petit vieux ou futur jeune ?

L'enfant Capricorne **prend la vie au sérieux,** cela se remarque sans doute dès le début de son existence, et en tout cas dès la petite enfance. Il ne vit pas dans l'insouciance, ce qui explique que bien des adultes du signe refusent – sans s'en rendre compte – de sortir de l'enfance. En fait, il ne remue pas, ne crie pas, ne multiplie pas les relations et les copains, ne prend pas les choses à la légère, ne fait pas de bêtises et ne cherche pas à éviter son travail par tous les moyens. Bref, aussi inquiétant que cela puisse paraître, il ne se comporte presque pas comme un enfant. **Responsable,** lucide, **sceptique** et **méfiant** depuis toujours, il prend de l'aisance avec le temps et rajeunit avec les années.

La seule chose qui le motive profondément, c'est de comprendre le sens des êtres et des choses pour les maîtriser et gravir une à une les nombreuses marches de son ambition. Il veut avoir un impact sur la réalité et utilise toutes les expériences de la vie, tous les actes et événements pour en faire un catalogue construit et apprendre. Chaque événement est une expérience supplémentaire qui lui permettra de ne plus être l'esclave de ses émotions et de ne pas se laisser influencer ni gouverner par qui que ce soit d'autre que lui-même. Alors, toute son enfance durant, pendant que les autres restent dans le superficiel et l'agréable légèreté, il construit son **indépendance.** Il imagine ses moyens à très long terme et creuse tranquillement son sillon dans le sol.

**L'aimer et le respecter** sont ce que l'enfant Capricorne demande avant tout ; il faut accepter son droit à être vraiment différent. Ne pas s'offusquer parce qu'au jardin il ne peut pas aller jouer avec les autres, ou qu'au cours d'un goûter il est paralysé et ne peut pas partager les jeux des amis. A l'école, il mène son bonhomme de chemin, souvent avec des bonnes notes et de bons résultats, mais sans être forcément remarqué par l'éducateur. Il aime qu'on le voit et qu'on le félicite, mais attend de le mériter par ses notes plus qu'en essayant d'attirer l'attention par tous les moyens.

Il est un peu empêtré dans son corps et maladroit car il ne sait pas bien s'en servir. Pudique et réservé, il mettra du temps à s'autoriser les câlins et la sensualité. Il faut le lui apprendre et l'y encourager.

Non content de maîtriser ainsi la matière, il ambitionne de gouverner le monde, et l'on dira même qu'il remplace l'aisance par l'ambition qui repose sur sa façon de trouver en lui-même les réponses aux problèmes métaphysiques. Secondaire, analytique, logique et persévérant, son type d'intelligence lui permet effectivement d'aller loin dans les meilleures conditions.

Mais **il est lent,** ah ! qu'il est lent ! Forcément, puisqu'il se méfie, répugne à aller vite sans réfléchir, veut revenir sur les choses, est prêt à renoncer à tout. N'ayant aucune estime pour ceux qui restent victimes de leurs émotions, il se demande longtemps si ce n'est pas cela qui risque de lui arriver. De plus, il imagine toujours tout à très long terme et n'a pas peur de

Le 25 décembre, un petit Capricorne est né…
*L'Adoration des mages,* école de Paris, XIVᵉ siècle.
(Musée du Louvre, Paris.)

construire des choses dont les fruits ne viendront que des années plus tard.

Au bout du compte, ce sont les parents qui, à force de ne pas l'entendre rouspéter, ne pas le voir chahuter dans sa chambre et donner l'impression d'en savoir plus long qu'eux sur la vie finissent par avoir l'impression d'être les enfants de leur enfant… qui **comprend tout, admet tout, analyse tout,** fait les choses comme il faut les faire et commet rarement des impairs. Bref, qui est un peu comme un « petit vieux » qui deviendra de plus en plus jeune avec les années.

## 2. Le talon d'Achille de l'affectivité

Et pourtant, **il aime et respecte sa famille** plus que tout autre. Méfiant, il aime ce cercle protecteur et pense que seule sa famille originelle est digne de confiance et d'ouverture. Son plus gros défaut est alors qu'il peut accepter n'importe quoi et rester enchaîné à son passé, simplement parce qu'il préfère conserver ce qu'il connaît plutôt que de s'aventurer dans l'inconnu, surtout sur le plan relationnel et affectif.

Tout cela – comme l'ensemble de sa personnalité – repose sur sa **très grande fragilité affective.** Derrière son masque froid, calme, impassible et insensible, il a le cœur extrêmement fragile, au point que la façon dont il aura vécu sa vie affective dans l'enfance marquera à jamais l'ensemble de sa vie adulte. Au fond, c'est surtout un anxieux qui ne peut exprimer ce qu'il ressent. Il a néanmoins besoin de recevoir beaucoup et de fréquentes marques d'attention et d'amour qui le rassurent et l'encouragent à s'ouvrir et à partager.

Même si les parents pensent que leur amour pour lui est une évidence, il est bon qu'ils soient attentifs à multiplier leurs manifestations et engagent ouverte-

*Le Jeune Homme contemplant Saturne.*
(Panneau d'un tryptique de Donato Creti ; XVII<sup>e</sup> siècle.)

ment la discussion sur le terrain des sentiments et de la sensualité afin de déculpabiliser cet enfant « naturellement frustré » et de lui donner l'envie de vivre ces aspects si essentiels de sa nature.

**Il n'aime personne comme sa maman** et restera certainement longtemps fixé sur son image – en positif ou en négatif – d'une façon très profonde. Au point que la douleur des relations au père peut être encore plus vive ou que l'ensemble de son ambition d'adulte soit – inconsciemment – tournée vers l'admiration maternelle et destinée à en recevoir les louanges. Grâce à un contact sain et vrai avec elle, il apprendra à se diriger dans le brouillard de son émotivité, et c'est sans doute le plus grand des services que l'on puisse lui rendre.

## 3. Les principes de sa santé

Il est et paraît délicat, mais les parents peuvent se rassurer en se disant que sa vitalité s'améliore, comme le reste, avec les années.

Le squelette, le système respiratoire et digestif comptent parmi ses plus grandes faiblesses. Son émotivité fragile et son psychisme compliqué se lisent à travers sa fragilité cutanée et les nombreuses manifestations allergiques qu'il multiplie dans l'enfance. De plus, c'est un frileux qui a tout le temps froid et qu'il faut sans cesse aider à se chauffer et à se réchauffer… sur tous les plans.

Il surestime sa résistance physique et nerveuse et l'entretient à coups d'efforts et de volonté, puis s'effondre d'un coup au moment où l'on s'y attend le moins. Il ne doit donc jamais rester centré et concentré trop longtemps sur lui-même comme il en a la tendance instinctive. L'entraîner dans la nature, près de la terre, dans des activités multiples et joyeuses – en particulier à la montagne et à la mer – ne peut que lui faire le plus grand bien.

Clin d'œil pour l'homéopathe : il a besoin de protéines en quantité et de sulfate de sodium pour solidifier sa charpente.

## 4. Les enjeux de chaque âge

### ✧ DE 0 A 1 MOIS : AGE LUNAIRE

Age important pendant lequel l'enfant n'a pas conscience d'exister en dehors de l'enveloppe matricielle et vit encore au rythme utérin, surtout pendant les trois premières semaines de sa vie (âge néonatal). Pour l'enfant Capricorne, cette période est rassurante et fera ensuite toute sa nostalgie inconsciente. Téter, dormir… puis téter et dormir à nouveau, ce rythme semble, pour ces enfants-là, encore plus naturel. On ne l'entend pas ou peu ; il semble calme, serein, tranquille à partir du moment où il est repu, pas prêt de rester éveillé trop longtemps. Il est de ceux dont on dit qu'il faut les réveiller pour les faire téter et qui ne pleurent que peu… ce qui va bien changer.

Il va sans dire que si l'on peut allaiter ces petits, ils en garderont une reconnaissance éternelle…

### ✧ DE 1 A 3 MOIS : AGE MERCURIEN

C'est un stade d'évolution par rapport au stade réflexif précédent. Les premiers facteurs qui témoignent de son besoin de contact avec l'extérieur sont la musique et les formes au-dessus de lui.

Prenez votre temps avec le petit Capricorne, nul besoin de le stimuler trop tôt. D'ailleurs, il dort toujours autant, mais aime bien les musiques très douces lorsque, par hasard, il se réveille, sachant qu'il est vraiment très mélomane.

### ❖ DE 4 A 8 MOIS : AGE VENUSIEN

Sensuels et sensitifs, les petits Capricornes aiment beaucoup les câlins et les jeux de peau. Ce stade de maturation par prise de conscience de leur propre corps et par la découverte des mains et du toucher est, pour eux, très appréciable. Vous pouvez les stimuler facilement dans ce sens, sachant que la meilleure texture qui soit est celle de la peau de maman.

C'est d'ailleurs un devoir essentiel de la mère du Capricorne que de développer au maximum le rapport sain au corps et aux sens, car c'est le besoin primordial du signe, sa source d'équilibre la plus sûre... mais aussi ce qu'il vit le moins facilement.

### ❖ 8 MOIS : L'ANGOISSE DE LA SOLITUDE

Etape d'individualisation essentielle et inévitable, pendant laquelle l'enfant découvre que sa mère existe même en dehors de lui, ce qui signifie qu'il est un individu solitaire. Tous les parents savent aujourd'hui que cette étape est primordiale, et on l'applique dans les crèches et les lieux paramaternels en ne prenant plus les enfants qui n'y ont pas été intégrés avant.

La confiance qu'il va établir avec le monde extérieur – qui apparaît à ce stade dans toute l'ampleur de son agressivité mortifère – va beaucoup en dépendre. Franchement, moins on le laisse seul ou en présence d'inconnus, et moins on le prépare à s'enfermer dans sa coquille.

### ❖ DE 8 A 18 MOIS : AGE SOLAIRE

Prise de conscience par l'enfant de son image et de sa légitimité à exister tel quel (âge « du miroir »). Il a besoin de papa pour dire – implicitement – qu'il est « *beau et fort, et qu'il peut marcher droit tout seul* ». Du coup, il se met debout et fait ses premiers pas... Si ce stade est perturbé, si l'image paternelle est ternie, les fragilités affectives et le besoin – maladif – de

Le Capricorne, extrait du *Livre des Zodiaques,* gravé
d'après Léonard Gautier (XVIIᵉ siècle).

(Bibliothèque nationale, Paris.)

reconnaissance n'en seront que plus accentués. S'il ne pleurait pas avant, maintenant, c'est sûr, le Capricorne a toutes les raisons de se plaindre.

Son papa a intérêt à venir à lui « avec des pincettes », car il n'est pas prêt à quitter comme ça l'univers et le modèle maternels. De plus, sa motivation pour le monde extérieur du père ne l'intéresse que partiellement, et il veut continuer à s'identifier à sa maman. Et puis enfin, ce père est-il vraiment fiable et solide ? Ses valeurs sont-elles les bonnes ? Pas si sûr… Le Capricorne n'aime que sa mère même si, justement, son père fait l'objet de tous ses regrets.

### ✥ *DE 18 MOIS A 3 ANS : AGE MARTIEN*

Il existe et il l'affirme, au besoin en s'opposant, cassant, mesurant ses effets sur l'environnement mais aussi en maîtrisant son corps par l'apprentissage de la propreté. Le petit Capricorne ne sera pas à la crèche, ni à la maternelle depuis longtemps, on l'espère pour lui ! Les systèmes de garde en nourrice ou assistante maternelle à domicile lui conviennent mieux. Il aborde d'ailleurs cet âge martien en… martien : en pleurant, en résistant et en manifestant pour la première fois clairement son désir de reculer et de ne pas quitter comme ça son environnement proche.

L'extérieur c'est bien, pourvu qu'il vienne à lui, *chez lui…* Solitaire, il éprouve beaucoup de mal à jouer spontanément avec les enfants, et c'est tout un aspect que la maman doit aider à développer.

### ✥ *DE 3 A 7 ANS : AGE JUPITERIEN*

La socialisation et l'apprentissage scolaire débutent là, et le Capricorne peut y trouver le meilleur comme le pire, suivant la première impression qu'il aura eue de l'école, des enfants et de la maîtresse, du fait qu'il se sera senti aimé ou non. Avec une bonne mémoire, une vraie débrouillardise, un sens raffiné de l'élocution, de la méticulosité et une vraie organisation, sans parler de l'imagination, le natif a toutes les raisons de bien aborder l'école et les études. C'est vraiment une étape très importante qui déterminera s'il veut faire confiance à l'extérieur ou s'enfermer dans sa timidité. Stimuler en étant là, voilà le vrai boulot qui débute pour les parents avertis. Si ça ne va pas, il ne le dira pas... Alors, il s'agit d'être vigilant et de ne pas croire que tout se fera « naturellement ».

### ✧ *L'ADOLESCENCE*

Oh ! la la... c'est si difficile de savoir où l'on en est et de déblayer le terrain intérieur bien encombré du Capricorne, aux prises, d'un coup, avec toutes ses angoisses. Car il s'agit bien de sauter, bientôt, dans l'univers des adultes... Le sablier a fini de couler ! L'enfance – et surtout la façon dont le natif aura vécu les âges lunaire, solaire et jupitérien – va se voir d'emblée. Votre Capricorne peut aussi bien devenir sérieux, appliqué, organisé, studieux... mais aussi renfermé, mélancolique et timide, ou bien vouloir à tout prix retarder la maturité par tous les moyens et cumuler les bêtises pour qu'on le dise « notoirement immature ». Ou bien balancer entre les deux attitudes : un jour très sage, le lendemain complètement fantasque et fanfaron.

Attention aux jeunes filles qui passent douloureusement cette période de changement corporel et qui ont une certaine tendance au va-et-vient boulimie/anorexie... Mais, pas l'ombre d'un doute : les parents sont là, là comme le rocher auquel s'accroche le crabe pendant la marée haute...

Prochaine étape : 29 ans, cycle saturnien complet qui marque une étape clef dans son positionnement d'adulte parmi les adultes... et peut-être enfin la fin de l'enfance ?

Baturnus.

Les parents Capricorne donneront à leur enfant le goût
du travail et de la persévérance.

*Les Métiers de Saturne* (gravure sur bois de H.S. Beham, 1535).

# VIII

# Les parents Capricorne

## 1. Maman Capricorne

Avant d'accepter d'être enceinte, elle a dû long-temps peser le pour et le contre et se prépare à ce nou-veau rôle avec la vigilance et la compétence qui la caractérisent. La maternité c'est sans doute avant tout une responsabilité, un travail avant d'être un agrément et un plaisir gratuit. Rien dans la vie ne mérite d'être abordé avec plus de sérieux et pour elle – qui prend déjà tout avec gravité – cette étape de sa vie est sans doute la plus importante.

Combien de fois a-t-elle ainsi regretté que la nature ne permette aux femmes de procréer que durant la période immature de leur vie, pensant sincèrement que pour aider et conduire vraiment un enfant, il faut effectivement avoir au moins 60 ans… En ce sens, les dernières « victoires » de la gynécologie – qui permet-tent d'inséminer des femmes ménauposées – devraient assez bien lui convenir… A moins que, justement, elle n'ait trop de lucidité et de réalisme pour se satisfaire d'une telle mascarade, de surcroît dangereuse pour l'équilibre de la mère autant que de l'enfant.

On se doute alors que la maternité la rende non pas douteuse, mais du moins méditative et préoccupée. Elle préférera, à cause de cela, n'avoir qu'un enfant et s'en occuper totalement. Une fois le choix fait, elle est d'une dévotion et d'une attention tout à fait remarquables et impartiales. Elle se consacre à sa maternité comme d'autres à leur boulot, mais elle ne renoncera pas pour autant à travailler et à mener sa vie comme elle l'entend.

Les femmes Capricorne sont des femmes fortes et de tête, indépendantes et lucides avec lesquelles il ne fait pas bon composer. Dignes et matures, elles peuvent sans problème remplacer le père et, de toutes les façons, même s'il est là, tenir le rôle central du foyer. Leur vie de femme pour un temps (ou pour toujours) passera derrière leur vie de mère jusqu'au jour où elles vont décider – elles et personne d'autre – que leurs petits n'ont plus autant besoin d'elles. Mais il reste les petits-enfants... et ces joies-là sont à nulles autres pareilles.

Toute sa vie elle fera en sorte que de ses mains les enfants sortent tel l'immeuble des plans de l'architecte. Objectivité, compétence et sens pratique, sens philosophique et grande culture générale autant que pragmatisme l'y aideront alors tout à fait. Sérieuse, sage, persévérante et mesurée, elle prend conseil auprès de plus sages et de plus spirituels qu'elle, et applique morale et sévérité avec la même impassibilité. Et seuls les résultats guident l'éducation parfaitement huilée qu'elle dispense.

Mais son enfant a-t-il tout simplement le droit d'être aimé pour ce qu'il est et non pour ce qu'il doit devenir entre ses mains et devant la galerie ? Son amour, sa tendresse, ses sentiments – pourtant si enflammés – sont tellement cachés sous des tonnes de conventions, de règles et de discipline qu'elle peut surtout apparaître étouffante et inaccessible. Et rien, mais alors rien, ne peut à ce point conduire à l'échec qu'une telle attitude de gendarme. *Faut d'la chaleur que diable, d'la chaleur !...*

## 2. Papa Capricorne

On peut incontestablement compter sur lui pour assumer son rôle de roue motrice du foyer. Il bétonne tous les aspects de la vie matérielle, morale et relationnelle de ses enfants, pensant sérieusement qu'une fois qu'ils ont le confort – le boire-manger-dormir – en plus de l'environnement et des fréquentations qu'il faut, ils ont tout et peuvent développer leurs compétences sur cette solide base. Tous ses actes sont guidés par ces principes ; il veut leur être secourable car il s'est lui aussi construit face à la solidité – sinon la rigidité – paternelle. Il pense alors sincèrement qu'il doit jouer le rôle du roc dans la tempête afin d'être le pilier, la référence autant que la roue de secours. Sa sagesse et sa profondeur de réflexion le rendent d'ailleurs fiable et crédible dans ce rôle.

Fondamentalement, il connaît les fils qui, depuis le début du monde, régissent l'humain, et il se comporte en fonction de ce savoir. Avec lui, ses enfants savent à quoi s'en tenir et trouvent effectivement du « répondant » en face. Mais, et papa Capricorne le sait bien, ses enfants risquent toujours de s'opposer violemment à ses diktats comportementaux, de juger sa retenue et de mettre à mal sa place de Dieu le Père. *« Tant pis,* pense-t-il alors, *cela leur fait toujours une manière comme une autre de se durcir les gencives et le tempérament »* et puis, de toute façon, parmi les cordes qu'il possède à son arc il ne dispose que très partiellement de celle de l'autocritique.

Solitaire il le demeure, même dans la paternité, sachant trop que nous restons toujours seuls, par-delà même les liens privilégiés qui nous unissent à nos enfants. Certes, sa pondération, sa fine intelligence, sa passion du long terme, son assiduité et sa volonté à toute épreuve... tout cela offre un chemin bien balisé à sa descendance dont il attend respect impartial et amour de la tradition ancestrale. La parole des vieux vaut pour lui parole d'évangile et l'obéissance qui leur est due n'est pas une mince affaire dans la vie capricornienne.

Dans cette éducation rigide, conçue comme un programme studieux et performant, il n'y a aucune place pour les coups de tête, les emportements affectifs et l'imagination au quotidien. Il est plus efficace, humaniste et diplomate que papa-poule. Dans la petite enfance, il peut encore faire montre de tendresse et d'attendrissement, oser jouer, rire, toucher et se laisser aller à la spontanéité. Mais avec les années, le silence, le recueillement et l'effacement prennent le pas dans ses rapports avec le temps, et on souhaite que ses enfants parviennent à le comprendre et à l'accepter, même s'il est apparemment froid, cassant, rigide, tyrannique et qu'ils ne peuvent jamais discuter de rien avec lui.

Eduquer dans les règles, l'interdit et la morale... il sait faire. Mais aimer, il ignore beaucoup trop...

Le Capricorne, dans *De astrorum Sciencia,* de Léopold d'Autriche.
(Augsbourg, 1489.)

# IX

# Rencontre avec le sacré en soi

## 1. Les rapports entre astrologie et religion

Quelques rappels historiques sont ici nécessaires afin de mieux appréhender les rapports existant entre l'astrologie et l'Église chrétienne, en particulier occidentale. Dans toutes les civilisations, l'astrologie peut être considérée comme la base initiale de la religion, car elle représente le premier lien **conscientisé** et **organisé** de l'homme avec « le toujours plus grand que lui », la Loi cosmique qui a successivement pris tous les noms de Dieu et dont le message – le Verbe – redescend jusqu'à l'homme. Cela dit, les débuts du christianisme catholique – plus encore que l'avènement du bouddhisme ou de l'islam, et différemment de la tradition juive ou d'anciens textes comme le Talmud ou le Zohar – ont rompu avec l'astrologie, dénoncée en regard de ses origines païennes et accusée de supplanter Christ, seul détenteur du « destin » des âmes incarnées sur Terre…

Néanmoins, les liens entre l'astrologie et le christianisme sont inhérents aux **symboles de Lumière et de Verbe qui leur sont communs.** Sans développer ici la richesse de ces liens (1) qui témoignent judicieusement de l'**éternité** et de l'**universalité** des principes

---

1. Voir, de Eugène Brunet : *Dieu parle aux hommes par les astres* (Editions Montorgueil).

Le Christ, le Soleil, la Lune et les quatre évangélistes qui
vont raconter leur Apocalypse, leur Vision. Du Livre d'Enoch
à la Bible, on conserve la tradition ésotérique. Dans la Bible
elle-même, les références astrologiques existent :
Deut., XXXIII, 14 ; Jug., V, 20 ; Ps., XIX, 3 ;
Dan., IV, 26 et V,4 ; Matth. II, 2 et XXIV, 29 ; Apocalypse.

immuables de la structure de l'imaginaire humain, nous tentons d'aborder les analogies qui existent entre les signes du zodiaque et les différentes figures centrales du christianisme. Nos églises et nos cathédrales nous fournissent des milliers d'exemples de ces associations fondamentales à travers les bas-reliefs, les vitraux, les sculptures... et nous en avons extrait ici quelques représentations.

Cela est d'autant plus important pour les signes fixes (Taureau, Lion, Scorpion et Verseau) qui sont clairement cités dans leur analogie aux quatre vivants de l'Apocalypse, tandis que le signe du Poissons (symbole du christianisme) est, quant à lui, présent dans la géographie sacrée des sept églises chrétiennes d'Asie, dont le plan au sol reflète la figure de la constellation stellaire du Poissons... elle-même liée dans le ciel – et dans le symbolisme astrologique – à la constellation du Crater, la coupe (le Graal) analogique au signe de la Vierge. N'oublions pas, non plus, l'analogie entre ce signe et le réceptacle géographique de Christ – Bethléem (« Maison du Pain ») – pointant le devoir de Marie de **recevoir, nourrir puis restituer le Fils au Père,** d'être terre d'accueil mais surtout de passage, cathédrale pour **accomplir l'Epiphanie, ce lien entre Réception et Résurrection** si cher à la tradition orientale.

Si cela est tout particulièrement pointé dans le signe de la Vierge (signe de l'éternel humain...), c'est qu'il demeure au cœur des liens entre minuscule et Majuscule, entre temporel et Eternel, entre humain et Divin. L'astrologie participe donc de l'*anacrise* (2), ce désir fou et spécifique de l'être humain d'**établir un dialogue construit entre sa part terrestre et sa part**

---

2. Voir, de Robert Amadou : *L'Anacrise/Pélagius* (Carisprit).

**angélique** et, en ce sens, monter un thème astral revient à **parier sur la capacité humaine à intercepter un instant d'éternité.**

C'est ici que se pose, selon moi, la question clef de l'astrologie : *avoir trouvé la technique qui permet d'intercepter cette part d'Ineffable autorise-t-il à penser que l'on y participe pour autant ?* Ou que, pire encore, on la maîtrise ? La réponse ne peut venir que du cœur et des rapports intimes que chacun entretient avec la Foi. Mais, dans tous les cas, la miséricorde et l'Amour divins sont immenses…

## 2. Ambiguïté de l'Eglise chrétienne d'Occident

La Bible – comme tous les textes sacrés, comme l'astrologie et comme les symboliques de toutes les traditions – est en base 12. D'autre part, la tradition mystique nous présente saint Jean comme un prophète-astrologue, ce qu'étaient les apôtres ainsi que les Rois mages. Mais que sont-ils tous, sinon des messagers de la Lumière, cette Lumière que nous savons aujourd'hui lire dans sa réalité biophysique ? Peut-être qu'à la fin du XX$^e$ siècle, grâce à la jonction du savoir scientifique infiniment développé et de la connaissance symbolique et mystique ancestrale, l'humanité est enfin sur le point de comprendre l'unité des énergies de l'univers ?… Libre ensuite à chacun de retrouver cette unité avec l'aide de Dieu, quel que soit le nom qu'il lui donne…

Si l'astrologie est donc l'une des courroies de transmission du message lumineux, les quatre signes fixes y sont les quatre messagers désignés, de par leur analogie avec les quatre vivants de l'Apocalypse de saint Jean. En effet, après son exhortation aux sept églises, symbole de la Jérusalem céleste, saint Jean

Les chrétiens (et les juifs) bannirent officiellement l'astrologie, considérant que Dieu seul régit le destin. Pourtant, en
dépit de résistances aux idées païennes, l'astrologie eut
une influence sur l'Eglise primitive, associant les symboles
des évangélistes avec la croix des signes fixes (le Taureau,
le Lion, l'Homme-Verseau et l'Aigle-Scorpion. (*Symboles
des Evangélistes,* enluminure du *Livre de Kells,* IXe siècle.)

*Le baptême du Christ.*
Toile attribuée à Jean
Tassel (XVIIᵉ siècle).

(Musée des Beaux-Arts,
Orléans.)

raconte sa vision du trône de Dieu, c'est-à-dire textuellement *« la façon dont le trône de Dieu lui est
révélé »,* le mot mal interprété d'Apocalypse signifiant
« Révélation » :

– Sur le trône, quelqu'un (Christ sur son trône ou
dans les mandorles au sein desquelles il est représenté
sur les frontispices et les portails de nos églises).

– Autour, les vingt-quatre vieillards (les ancêtres).

– Encore autour, les sept esprits de Dieu (les sept
énergies, les sept couleurs de la lumière solaire, les
sept notes de musique avec l'exactitude des correspondances énergétiques que l'on retrouve dans les
chants grégoriens, nos sept planètes majeures de l'astrologie…).

Enfin, les quatre vivants (les quatre survivants, en
fait, qui ont pour mission de transmettre le Verbe, *la
révélation de l'Apocalypse*) qui sont les quatre évangélistes :

– **Le premier vivant est comme un lion ;** c'est
saint Marc associé au signe du Lion, prophète « mili-

Bas-relief de la cathédrale d'Amiens représentant les signes du zodiaque.

tant » dont les coptes se réclament, dans la droite ligne des enseignements des Pères du désert.

– **Le second vivant est comme un jeune taureau ;** c'est saint Luc associé au signe du Taureau, signe du désir de Création dont l'enjeu terrestre sera d'accéder au Verbe déposé dans sa chair, après avoir déblayé la matière qui le protège, ou l'opacifie…

– **Le troisième vivant a comme un visage d'ange ;** c'est saint Matthieu associé au signe du Verseau, pédagogue du Verbe et réconciliateur de l'homme avec sa part divine.

– **Le quatrième vivant est comme un aigle en plein vol ;** c'est saint Jean, associé au signe du Scorpion, auquel correspond l'emblème de l'aigle dans la Tradition et dont les capacités transmutatoires ouvrent sur la révélation et la possible résurrection.

La transmission de l'Orient devient d'autant plus intéressante qu'on se souvient que ces quatre figures centrales du taureau, du lion, de l'aigle et de l'homme, représentant les quatre éléments Feu, Terre, Air et Eau, sont aussi réunies dans le symbole du Sphinx, archétype du secret, signe de la présence du message divin universel sur Terre... Il n'en reste pas moins difficile pour tout un chacun de retrouver son « bout de Sphinx » en lui-même. Disons simplement qu'une lecture astrologique – par un astrologue *qui joue véritablement son rôle d'évangéliste* – y aide... Savoir ce qu'on en fait est une question humaine et contingente qui, en tant que telle, n'appartient plus à l'astrologie...

## 3. Le sens du sacré selon le Capricorne

Les natifs se disent généralement attirés par la recherche spirituelle lorsqu'il ne s'agit pas d'une voie mystique ou religieuse tout à fait clairement revendiquée. Ils veulent faire reconnaître leur sagesse et leur intérêt pour ces domaines, ont besoin de vivre une « autre dimension » et mettent donc en avant leur nature métaphysique et philosophique ainsi que leur goût de l'Ineffable.

Ils le disent, certes, mais qu'en est-il ? La plupart du temps ils ont raison, car l'appel – à ce stade du zodiaque – est certainement très clairement audible, les sirènes de l'Eternel (ou la voix des anges...) arrivant ici directement à leurs oreilles sans grand obstacle.

S'engager dans une tradition et la respecter, en suivre les codes, les préceptes voire les dogmes fait partie des valeurs fondamentales du signe. Tout autant que celles de la méditation, de la retraite, de l'ermitage – d'une manière générale, de la poursuite de l'Essentiel. Du primordial éternel. Ils ne reculent ni devant la Conscience, ni devant la solitude qui va de pair avec cette sorte de recherche et de plan de cons-

*Ermite aux mains jointes en prière.* Peinture attribuée à Charles-Joseph Natoire (XVIIIᵉ siècle).

(Musée des Beaux-Arts, Orléans.)

cience : jeûne, discipline, renoncement et épuration, loin de les rebuter, donnent un véritable sens d'Amour à leur vie. **Leur âme est affinée** et ils sont souvent prêts à jouer le rôle du maître après avoir été illuminés en tant que disciple-aspirant pendant un temps plus ou moins long.

Ainsi le Capricorne, ayant ouvert la porte vers le ciel en tant que signe cardinal, se tient-il **au pied des marches.** Il est le premier signe à se trouver dans cette position, le premier à **apercevoir un coin d'éternité.** Et c'est justement là que réside sa grandeur et sa condamnation, son piège le plus grand.

**Goût du pouvoir, sclérose de l'ego et certitudes cristallisées** l'empêchent néanmoins d'accueillir et d'accepter. Quoi ? Tout ce qu'il ne sait pas, ne voit pas, n'est pas encore… S'il ne sait pas et n'accepte pas que de là où il est – aussi haut qu'il aille sur sa montagne – il ne verra jamais qu'un bout du ciel, c'est la chute assurée, par manque d'humilité et de conscience vraie.

La naissance de Jésus en présence des trois
Rois mages-astrologues.
(Manuscrit du xivᵉ siècle ; Bibliothèque nationale, Paris.)

**Il faut laisser l'ego se dissoudre comme un
caillot superflu.** Il faut laisser venir la dimension collective et cosmique qui seule compte. Il faut avoir la
certitude qu'**aucune certitude n'existe jamais** et, en
particulier, qu'elle ne peut jamais venir de soi… Il
faudrait tant de choses au niveau desquelles ce signe-
là ne peut être…

C'est déjà formidable et immensément respectable
d'en être là. Mais toute la sagesse qui est demandée au
Capricorne – le message de son signe – consiste à
savoir qu'il n'en est jamais que là. S'il est sûr du ciel
qu'il vient d'apercevoir, c'est une tout autre leçon que
d'**apprendre enfin à douter de lui-même…**

Le symbolisme du genou relatif au signe est ici
rappelé. La **génuflexion spirituelle** est ce lâcher prise
de l'âme pour sa *croissance* et son *accomplissement*.
Genoux à terre, tête entre les genoux – posture de

prière encore conservée par les musulmans – comme dans la Bible prie Elie pour le retour de la pluie – posture de germe d'un être qui naît à lui-même après être né de l'humain, le genou assurant son couronnement et sa gloire (3). Mettre le genou à terre, l'accepter et l'intégrer, c'est accepter de **faire ployer ses certitudes,** ses rigidités intérieures et ses protections extérieures, pour se donner la chance de **grandir à l'intérieur de soi.**

Loins sont alors les désirs de gloire sociale et de maîtrise terrestre. Il s'agit de retrouver des centres de forces encore bien plus profonds et bien plus importants, puisque le genou gouverne toutes les forces, celles du corps puis celles de l'âme…

Mais alors que maintenir ses genoux droits est un symbole de force extérieure et de position sociale affirmée, les plier jusqu'à toucher terre du front est le symbole de la plus grande **force intérieure…** et la seule authentique, celle que n'attaquent ni l'érosion du temps, ni celle des nécessités sociales. La seule, enfin, qui soit véritablement un objectif en même temps qu'un **enjeu** pour le Capricorne.

〰️

*« Si tu as suffisamment de foi et suffisamment de doute, alors tu peux voir la lumière »,* disait saint Paul… Le soleil, même en plein cœur de l'hiver.

----

3. Voir, d'Annick de Souzenelle : *Le Symbolisme du corps humain* (Editions Dangles).

# Conclusion

Connaître son signe solaire est toujours utile et important : c'est une **première approche** sur le chemin de la découverte et du développement de soi. Au rang des outils qui favorisent cette analyse intérieure et permettent une connexion avec l'Eternel en nous, l'astrologie a pour elle le mérite, la sagesse et la validité des siècles. Elle donne tout son sens à la phrase de Clément d'Alexandrie : *« Le cheminement vers soi-même passe par les douze signes du zodiaque. »*

Nous avons tenté de condenser ici le maximum d'informations de qualité pour vous permettre de franchir cette première étape. Vous savez à présent que **nous portons en nous une certaine palette de signes différents,** qui influent sur nous en synergie, et que nous ne sommes pas marqués uniquement par notre seul signe solaire. Loin s'en faut ! Alors, si rien ne remplace une consultation chez l'astrologue, il reste très important de découvrir ses propres dominantes : le signe de l'ascendant et de la Lune puis, dans un second temps, ceux des autres planètes marquantes dans son thème. Il est important aussi de se référer aux signes de ses proches, famille, amis et relations professionnelles pour mieux les comprendre, les aimer, les respecter afin d'évoluer ensemble dans l'harmonie.

Les **autres ouvrages de cette collection,** en vous faisant découvrir vos autres facettes cachées, en découvrant vos fonctionnements profonds et ceux de l'*autre,* favoriseront la tolérance, l'amour et l'échange. En attendant, nous espérons que la lecture de ce premier signe vous aura donné envie de découvrir les autres…

---

Pour connaître votre ascendant, vos positions planétaires, votre thème astral complet ou pour vous initier à l'astrologie, au tarot et bénéficier d'un réseau d'activités pluridisciplinaires, vous pouvez vous adresser à Aline Apostolska, via l'*« Association pour le développement de l'astrologie, de la cosmographie et de la mythologie de la région Centre » :*

**Astarté** – B.P. 2222 – 45012 Orléans Cédex 01

# Table des matières

Imprimé par CLERC S.A.
18200 St-Amand-Montrond (France)
pour le compte des EDITIONS DANGLES.

Dépôt légal éditeur n° 1899 – Imprimeur n° 5243
Achevé d'imprimer en janvier 1994.

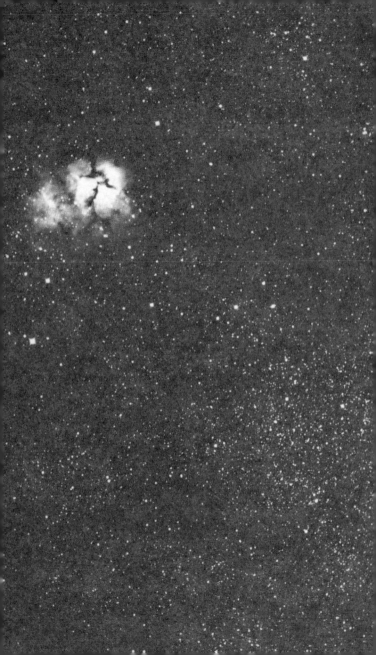